This book m

14-38

DIX POÈMES
DE
STÉPHANE MALLARMÉ

TEXTES LITTÉRAIRES FRANÇAIS

DIX POÈMES
DE
STÉPHANE MALLARMÉ

Exégèses de

E. NOULET

LILLE
LIBRAIRIE F. GIARD
2, rue Royale

GENÈVE
LIBRAIRIE E. DROZ
14, rue Verdaine

1948

AVANT-PROPOS

Vis-à-vis de Mallarmé, on est toujours impie.

De quelque façon qu'on le traite.

Tenant que la catégorie des moqueurs est en passe de disparaître, l'on se demande si les lecteurs les plus irrévérencieux ne sont pas ceux qui affirment admirer sans comprendre et admirer mieux de ne pas chercher à comprendre. Pour eux, la poésie se lit comme on se grise, l'esprit absent... D'un poème, dont ils pensent que le sens n'importe pas à sa qualité, ce sont les délices extérieures qui leur suggèrent des enchantements auxquels le propos du poète, pour douloureux ou charmant ou transcendant qu'il soit, n'a presque plus de part.

Et sans doute, Mallarmé a dépassé les limites du langage raisonnant. Et certes, il a débarrassé le mot de sa charge usagère. De là, déduire qu'il l'a vidé de son contenu, c'est, de là, partir dans une direction arbitraire. A l'opposé, il apporta, le dépassement et l'allégeance obtenus, les soins les plus subtils et les plus patients à augmenter sa valeur significative, à multiplier ses faces de clarté et son rayonnement analogique.

Mais est-il question de mots ? Ou d'expérience tentée au-delà de ce qui réussit, ou d'un effort philosophique conduit à partir du poème, ou d'une connaissance entrevue jusqu'à son terme ?

Cohérent, un, parfait, fermé, sans issue, le système secret qui relie les parties de cette œuvre, communique à l'ensemble une fixité qui s'apparente à l'hallucination.

Car la philosophie ainsi enclose et parée, fait l'équation, non des inquiétudes habituelles de l'homme quant à son origine et à sa fin, mais des rapports particuliers du seul et des innombrables, des lucides et des molles étendues, de la parole exceptionnelle et de la multiple et séculaire confusion. Elle conjoint des notions précises : condition de la supériorité et de la beauté ; présence, essence, labeur et passage du génie créateur.

Elle se définit, en somme, comme le dit Jean Cassou, « une philosophie de la mort, de l'être et de la gloire ».

Refuser d'aller jusque là, c'est craindre le vertige, mais surtout, c'est accepter d'ignorer, entre autres choses, l'éclat le plus dur et le plus sûr d'une œuvre ne le laissant filtrer que vers ceux qui franchissent le seuil des apparences exiguës.

Car lui, le maître mal obéi, ne veut pas qu'on lise de surface si miroitante qu'elle paraisse :

Strictement, j'envisage... la lecture comme une pratique désespérée... [1]

---

[1] *Le Mystère dans les Lettres.*

Et plus loin :

Je préfère, devant l'agression, rétorquer que des contemporains ne savent pas lire.

Car c'est lui encore, lui obscur, l'esthète, le formel qui avait déjà écrit ce vers très intellectuel, ce vers comme une devise, comme une lance :

Gloire du long désir, Idées...

La majuscule honorifique, ce n'est pas la seule fois qu'il en empanache le mot idée. On la rencontre de page en page, signalant le même mot, le mât où accrocher les lignes de son glorieux verbiage, dans cet ouvrage, *Le Mystère dans les Lettres*, qui montre précisément que la nécessité et les prestiges de l'idée sont évidents en littérature, souterrains en musique :

... à ce tracé... des sinueuses et mobiles variations de l'Idée, que l'écrit revendique de fixer...

Ou bien, plus nettement :

Je pose, à mes risques esthétiquement, cette conclusion... que la musique et les Lettres sont la face alternative ici élargie vers l'obscur ; scintillante là, avec certitude, d'un phénomène, le seul, je l'appelai l'Idée.

Ces invitations à la découverte d'un sous-œuvre engendrèrent la secte de plus en plus nombreuse des scholiastes qui se persuadèrent, leur émotion et leur plaisir en suspens, qu'une herméneutique préalable et attentive ne pouvait que découvrir de nouveaux motifs d'admiration. Ils souscrivirent donc implicitement à cette déclaration d'A. Thibaudet :

Au contraire de M. de Gourmont, j'admets à chaque ligne de Mallarmé un sens réel, objectif, qu'a voulu l'auteur ou qu'il a accepté de son inspiration, comme cela se passe dans n'importe laquelle des pages de prose et de vers qui furent jamais écrites. Les doutes, les nuances changeantes dont est pleine, je le reconnais, cette poésie, et qui en font la joie et la difficulté, ne détruisent pas ce sens, mais prennent place dans l'ampleur du cercle qu'il élargit [1].

Dès lors, on s'acharna contre cette œuvre étrange, les uns vite satisfaits d'une paraphrase prosaïque, les autres l'attirant à leurs propres théories nébuleuses. Certains, gagnés par le style de leur sujet, et oubliant que la seule chose qui ne se puisse passer de la clarté traditionnelle, c'est l'explication, écrivirent eux-mêmes d'une manière si obscure qu'ils demanderaient, à leur tour, une traduction pour être entendus ; les meilleurs, respectueux, audacieux, suivirent le texte à la trace, au mot : se souvenant que Mallarmé était de ces auteurs dont parle Charles Du Bos, qui abondent dans leur propre sens...

Pour ma part, je résolus de limiter le sacrilège quant à la substance même de la pensée mallarméenne, en me refusant à en dégager la valeur figurée ; et de pousser en revanche aussi loin que je pourrais dans la netteté et la propreté du déchiffrement. C'est pourquoi, évitant toute anagogie par où s'immiscent les points de vue personnels et abusifs, prématurés ou frauduleux, je m'en tins à une explication littérale et littéraire.

---

[1] *La Poésie de Stéphane Mallarmé*, p. 61.

Cependant, avant de l'oser, je me demandai la raison morale, si l'on peut dire, d'un hermétisme si délibérément cherché et graduellement obtenu, et qui n'était dans le génie ni de l'auteur ni de la langue. Il me semblait que, cela trouvé, je risquerais moins de me tromper. Or, en 1863, Mallarmé avait vingt ans, on pouvait lire dans le numéro du 15 septembre de *L'Artiste*, un texte à double titre : *Hérésies artistiques, L'Art pour tous*. La belle revue illustrée que dirigeait Arsène Houssaye n'était pas un lieu obscur et moins que jamais en cette année brillante où les noms célèbres se rencontraient à chaque fascicule. Pourtant, et malgré leur air de manifeste, et quoiqu'elles dissertassent, en opposition avec l'art musical, sur les conditions de la poésie, personne ne parut s'apercevoir de l'importance de ces pages juvéniles. Mallarmé qui replaçait volontiers ses textes ne republia jamais celui-ci ; il n'en parla plus. Il le laissa s'oublier. Et on l'oublia. Il se perdit. Ses fervents, ses disciples, ses amis l'ignorèrent. A tel point qu'il ne fut mentionné dans aucune bibliographie et qu'il faut attendre 1927 pour que M. Monda et F. Montel qui en connaissent l'existence, du moins le titre, le citent parmi les textes à exhumer.

Comment expliquer que personne ne l'ait découvert, là où il se trouvait ? C'est qu'on travaille mal. On travaille vite. Signale-t-on la publication du *Sonneur* et du *Guignon* dans l'*Artiste* de mars 1863 ? On ouvre la Revue à cette date, sans tourner les pages qui précèdent ni celles qui suivent. J'ai donc fait une chose bien simple que j'ai répétée d'ailleurs pour toutes

les revues du temps qui me furent accessibles [1] :
pour mieux vivre les années littéraires des débuts
de Mallarmé, j'ai feuilleté l'*Artiste* sans en passer
une seule page, depuis son premier numéro jusqu'à
sa disparition, et j'ai rencontré fatalement le texte
précieux [2]. Je l'ai lu. Et pendant dix ans [3], j'ai gardé
le secret de Mallarmé que je venais de découvrir.
Du meurtre de la clarté visible, je venais de découvrir le mobile.

Je voyais que Mallarmé ne songeait pas du tout
à attenter à la nature de la poésie, mais seulement à
la protéger contre une lecture frivole. Ni révolte, ni
même audace, mais piété de celui qui craint le bruit
et la dégradation, mais amour farouche de qui acca-
pare un chef-d'œuvre pour le mieux adorer. A cette
époque, dans ce jeune texte, il souhaitait que la
graphie et l'aspect écrit de la poésie eussent allure
rébarbative ; que la lettre, comme en musique les notes
et les portées, repoussât les profanes. Et je ne dis
pas qu'il en soit resté là. Que la volonté initiale ne se
soit pas peu à peu transformée et élevée. Conduit
par le mot, amené à sonder le phénomène humain

---

[1] J'ai retrouvé ainsi d'autres textes enfouis et
notamment : *L'Œuvre poétique de Léon Dierx* (*Renaissance artistique et littéraire*, 16 mars 1872), *Le Jury
de peinture de 1874 et M. Manet* (même revue,
12 avril 1874).

[2] Cf. le texte en appendice, p. 148.

[3] Je n'en ai parlé à M. Henri Mondor, que quelques
mois avant la soutenance de ma thèse, *L'Œuvre
poétique de Stéphane Mallarmé*, 1940, E. Droz, Paris.
C'est au premier chapitre de cet ouvrage, p. 37, qu'on
trouve, in extenso, pour la première fois, ce texte
republié.

de l'expression, le poète en vint à mesurer les possibilités du langage et de la poésie, à définir leur
signification cosmique ; d'où, la conception du livre
universel, du livre seul, du livre impossible. Et, de
leurs possibilités, il passa à leurs éventuels pouvoirs ;
contre le néant, contre le hasard ; d'où *Igitur*, d'où
Un coup de dés...

D'où, au cœur même d'une poésie, une philosophie.

Un tel aboutissement se situait sur un chemin
fait pas à pas qu'il fallait donc, pour communier
dans la même exaltation de sa découverte, refaire
en sens inverse, dans toute sa longueur. Et suivre
ses bords étroits et monotones, et obéir au poète et
chercher auprès de lui une méthode et des moyens.

S'il faut le tenir pour un moment, un repos de ce
chemin, comment, dès lors, regarder un poème de
Mallarmé, ce nœud de nécessités, comme dit Jean
Cassou ?

Et Mallarmé répond :

Un balbutiement, que semble la phrase, ici refoulé
dans l'emploi d'incidentes multiples, se compose et
s'enlève en quelque équilibre supérieur, à balancement prévu d'inversions [1].

Et quel fil d'Ariane utiliser, les inversions rétablies, les incidentes isolées, les unes et les autres
dépistées à des places équidistantes, dans les détours
de la phrase ainsi délestée ?

---

[1] *Divagations, Le Mystère dans les Lettres* qui repre-
nait en grande partie, et complétait en style mallarméen, les idées de l'*Art pour tous*.

Dans :

l'écrit, envol tacite d'abstraction, Quel pivot, demande Mallarmé, j'entends, dans ces contrastes, à l'intelligibilité ? il faut une garantie.

Cette garantie, il l'indique solennellement : La Syntaxe.

Et pour suivre la syntaxe, il faut ici encore écouter le poète qui conseille de le lire... simplement. Oui, lire ce qui est là. Mais tout ce qui est là. Sans rien omettre, ne serait-ce qu'une virgule. Dans l'ordre indiqué des fonctions, et veillant à chaque mot. Sans trop de hâte, sans forcer le symbole ni l'introduire trop vite. En somme sans arrière-pensée.

Alors, émergent et s'érigent, l'équilibre supérieur qui était promis, le bloc redressé du poème, le rayonnement de sa loi.

Car, défait, transpercé, profané, le sens retrouvé, les moyens justifiés, le poème tout à coup se referme et se reforme, plus beau et plus émouvant.

Devant lui, on ne sait à quoi jeter sa plus grande admiration, à la composition, au symbole, à l'expression ou à leur parfaite conjonction ? Il redevient charme et musique, mais il est encore ombre umineuse.

Les exégèses que je présente ici, corrigées, et précisées sont reprises quant au fond général de l'explication, de mon premier ouvrage. Je ne puis me dédire s'il est vrai que je n'ai fait qu'interroger le texte lui-même d'aussi près que possible. Cependant, imprimé en trois semaines pour l'échéance d'une soutenance de thèse, ce livre est si plein de coquilles, qu'il devient sans doute utile de le mettre au point en quelques-unes de ses parties. D'autant qu'une réflexion continuée apportait avec elle de nouvelles évidences.

En les publiant, dois-je penser que j'agrandis dangereusement le cercle des lecteurs de Mallarmé ? Ferais-je ainsi échec aux pages de 1862 (auxquelles je donne, par ailleurs tant de prix) et qui voulaient éloigner de la poésie les regards rapides et distraits ? L'objection aviverait mes scrupules si je ne croyais pas aussi que l'exégèse mallarméenne est encore moins lue certainement que la poésie elle-même et que, en soi œuvre de vulgarisation, elle réussit ce paradoxe de ne gagner aucun adepte : elle vise seulement à renforcer la foi de ceux qui l'ont déjà ; à multiplier les raisons d'admirer de ceux qui en ont déjà.

La véritable indiscrétion, très contraire à l'esprit de Mallarmé, en vérité, n'est pas là. Au surplus, qui défendra à l'enfant de démonter le jouet qu'il aime, à l'homme de fouiller le ciel qu'il contemple ?

TOAST FUNÈBRE

O de notre bonheur, toi, le fatal emblème !

Salut de la démence et libation blême,
Ne crois pas qu'au magique espoir du corridor
J'offre ma coupe vide où souffre un monstre d'or !
Ton apparition ne va pas me suffire ;
Car je t'ai mis, moi-même, en un lieu de porphyre.
Le rite est pour les mains d'éteindre le flambeau
Contre le fer épais des portes du tombeau :
Et l'on ignore mal, élu pour notre fête
Très-simple de chanter l'absence du poëte,
Que ce beau monument l'enferme tout entier :
Si ce n'est que la gloire ardente du métier,
Jusqu'à l'heure commune et vile de la cendre,
Par le carreau qu'allume un soir fier d'y descendre,
Retourne vers les feux du pur soleil mortel !

Magnifique, total et solitaire, tel
Tremble de s'exhaler le faux orgueil des hommes.
Cette foule hagarde ! elle annonce : Nous sommes
La triste opacité de nos spectres futurs.
Mais le blason des deuils épars sur de vains murs
J'ai méprisé l'horreur lucide d'une larme,
Quand, sourd même à mon vers sacré qui ne l'alarme

Quelqu'un de ces passants, fier, aveugle et muet,
Hôte de son linceul vague, se transmuait
En le vierge héros de l'attente posthume.
Vaste gouffre apporté dans l'amas de la brume
Par l'irascible vent des mots qu'il n'a pas dits,
Le néant à cet Homme aboli de jadis :
« Souvenirs d'horizons, qu'est-ce, ô toi, que la Terre ? »
Hurle ce songe ; et, voix dont la clarté s'altère,
L'espace a pour jouet le cri : « Je ne sais pas ! »

Le Maître, par un œil profond, a, sur ses pas,
Apaisé de l'éden l'inquiète merveille
Dont le frisson final, dans sa voix seule, éveille
Pour la Rose et le Lys le mystère d'un nom.
Est-ce de ce destin rien qui demeure, non ?
O vous tous, oubliez une croyance sombre.
Le splendide génie éternel n'a pas d'ombre.
Moi, de votre désir soucieux, je veux voir,
A qui s'évanouit, hier, dans le devoir
Idéal que nous font les jardins de cet astre,
Survivre pour l'honneur du tranquille désastre
Une agitation solennelle par l'air
De paroles, pourpre ivre et grand calice clair,
Que, pluie et diamant, le regard diaphane
Resté là sur ces fleurs dont nulle ne se fane,
Isole parmi l'heure et le rayon du jour !
C'est de nos vrais bosquets déjà tout le séjour,
Où le poëte pur a pour geste humble et large
De l'interdire au rêve, ennemi de sa charge :
Afin que le matin de son repos altier,
Quand la mort ancienne est comme pour Gautier
De n'ouvrir pas les yeux sacrés et de se taire,
Surgisse, de l'allée, ornement tributaire,
Le sépulcre solide où gît tout ce qui nuit,
Et l'avare silence et la massive nuit.

Toast Funèbre parut, pour la première fois, le 23 octobre 1874, dans le *Tombeau de Théophile Gautier*, édité par Lemerre, et auquel presque tous les poètes de la génération parnassienne ont collaboré ainsi que Victor Hugo.

L'idée de cet hommage collectif avait été suggérée par Glatigny qui mourut en avril 1873, avant d'en voir la réalisation.

Le poème de Mallarmé, parmi quatre-vingt-trois témoignages d'admiration, se présente à la page 109 du recueil et ne semble pas avoir été autrement remarqué à l'époque. Mallarmé le publia à nouveau en 1887 et le jugea assez important pour l'isoler et en faire l'unique objet du VIIᵉ cahier dans les *Poésies de Stéphane Mallarmé, photolithographiées du manuscrit définitif*, édition édifiante par ce groupement en cahiers, et si émouvante puisqu'on y retrouve son écriture et jusqu'à ses manies d'écriture ; c'est ainsi qu'entraîné par son amour du tiret, il transcrit le vers 46 : *Resté-là...*

Avec *Toast Funèbre*, commence la période où Mallarmé ne donne à la publication que des poèmes dont la forme est définitive ; plus d'états premiers enfouis dans des revues oubliées et qui viennent éclairer le texte devenu obscur, plus de modifications dans les rééditions successives ! Aussi, la version du *Tombeau* n'offre guère de variantes importantes :

vers 13 : Jusqu'à l'heure dernière et vile de la cendre,

vers 35 : Pour la rose et le lis le mystère d'un nom

sinon des ponctuations différentes dont quelques-
unes sont peut-être des coquilles :

vers 14 : Par le carreau qu'allume un soir fier d'y
descendre

vers 19 : La triste opacité de nos spectres futurs.

vers 30 : Hurle ce songe ; et la voix dont la clarté
s'altère,

vers 34 : Dont le frisson final, dans sa voix seule,
éveille,

vers 36 : Est-il de ce destin rien qui demeure ? Non

vers 37 : O vous tous ; oubliez une croyance sombre.

Mentionnons aussi la suppression d'un espace
entre le vers 47 et le vers 48.

La version de 1887 corrige les vers 13 et 35 tels
que nous les connaissons aujourd'hui et modifie les
ponctuations, supprimant ici et là des virgules qui
seront rétablies dans l'édition Deman de 1889.

Au moment où Mallarmé fut sollicité de collaborer
au *Tombeau*, il n'avait plus publié un seul vers
depuis 1867. Cependant, les revues amicales ne
manquaient pas : *L'Artiste*, bien qu'elle dégénère
durant les dernières années, continue de paraître
jusqu'en 1872 ; Villiers n'obtient de lui, pour sa
Revue des Sciences et des Arts (1867-1868), que des
Pages oubliées, écrites depuis longtemps et qui ne
sont même pas inédites ; tandis qu'il envoie à la
Renaissance artistique et littéraire ses traductions
des poèmes d'Edgar Poe ou des articles de critique.

Aucun poème. Aucun poème depuis l'*Après-
midi d'un Faune* si allégrement écrit [1], depuis

----

[1] Il s'agit de la première version, celle de 1865, et
qu'il ne livra jamais à l'édition.

Hérodiade si douloureusement conçue, commencée, abandonnée, reprise et dont seuls des fragments furent terminés. Sept ans de stérilité poétique ? Entre 1867 et 1873, entre *Hérodiade* et *Toast Funèbre*, silence de l'inspiration ? Délaissement de la poésie ? Non, rupture profonde.

Car, successifs par leurs dates, ces deux grands poèmes se tournent néanmoins le dos ; de l'un à l'autre, aucune suite quant à leurs thèmes mais surtout quant à la conception poétique qu'ils illustrent. L'un regarde le passé ; l'autre inaugure une technique nouvelle ; l'un est encore parnassien, l'autre est déjà hermétique. Jusqu'à *Hérodiade*, tous les poèmes sont, à quelques vers près, parfaitement clairs et ne demandent qu'une attention à peine augmentée. A partir de *Toast Funèbre*, tous les poèmes sont parfaitement obscurs et exigent, si on veut les entendre ou seulement les goûter, un patient déchiffrement.

C'est que, entre les deux poèmes, entre les deux dates, se place dans la vie de Mallarmé, dans la vie de sa pensée, une terrible expérience, celle que l'on peut appeler, à peine symboliquement, les nuits de Tournon.

Crise morale autant qu'intellectuelle dans laquelle le poète semble bien avoir poursuivi, sur le plan profane, une ascèse aussi difficile, aussi éperdue, aussi révélatrice que celle qui conduit à l'extase mystique sauf que le résultat en fut, du point de vue religieux, nettement négatif : il y laissa la foi de son enfance et ne la remplaça par aucune autre. A toutes les angoisses, à toutes les questions humaines, il n'y a plus, pour lui, qu'une atroce réponse, ou, plutôt, il n'y a plus de réponse : tout se perd dans le néant. La seule compensation au cycle universel d'effacement continu est la mémoire des hommes tant que cette mémoire durera. Face au néant, il ne reste donc comme seule activité valable, comme plus haute dignité et seule promotion enviable que la gloire très pure de l'art.

Au cours d'un tel bouleversement, avait-il vu aussi s'ébranler et disparaître les principes d'école et les préjugés qui tenaient au point d'évolution dont il était contemporain ? Conçut-il à ce moment un style poétique qui ne dût rien ni à la tradition ni à l'influence ?

A vrai dire, il y avait déjà rêvé, à une rénovation de l'art d'écrire ; du moins, il l'avait entrevue quand, à vingt ans, dans l'*Art pour Tous*, il demandait que la poésie inventât un moyen tout extérieur qui la pût protéger contre la curiosité sacrilège ou seulement intempestive, tout de même que la musique qui exige, avant tout déchiffrement, la connaissance du système des notes et des portées.

Et ce qu'il doit à l'aventure mentale qu'il poursuivit à Tournon, à Besançon, à Avignon, c'est peut-être le courage de mettre en application un procédé d'écriture qui répondît à son propre vœu. Ainsi, l'effondrement de ses convictions religieuses et morales le laissèrent, malgré tout, fidèle à lui-même, fidèle à sa jeunesse.

Il sortit donc de ces années de méditations, bien décidé à ne plus livrer une seule ligne de lecture facile, un seul vers qu'un regard impudent pût d'un

seul coup saisir. Mot à mot, un à un, comme secrets
maniés et rangés subtilement suivant la convenance
de leurs éclats croisés, eux-mêmes, les mots devien-
draient le barrage contre une lecture offensante et
rapide ; eux-mêmes, les mots, assureraient la pro-
tection de la plus haute poésie.

Quand on lui demanda sa contribution au *Tombeau*, il vit sans doute l'occasion d'éprouver à ses
propres yeux, la validité de ses nouveaux moyens
d'expression et d'affirmer aux yeux des autres,
l'existence du nouvel écrivain qu'il était devenu.
D'un poème de circonstance, il ferait le poème de
sa conviction. La contingence imposée n'était
d'ailleurs pas contradictoire à ses préoccupations
désormais intemporelles : Théophile Gautier était
une admiration de sa jeunesse. Il avait publié, en
1865, dans l'*Artiste*, un triple hommage : à Théophile Gautier, à Charles Baudelaire, à Théodore de
Banville, sous le titre significatif de *Symphonie
Littéraire*. Singulier hommage puisqu'il s'agit moins,
pour le jeune poète déjà accablé par « la Muse
moderne de l'Impuissance », de louer ses auteurs
préférés que de les utiliser comme une sorte de
drogue divine, et d'atteindre, par eux, un état
d'ivresse lyrique, presque indépendant du texte lu,
purement passif, mais dont les visions poétiques
l'assurent de sa propre qualité ; une *transfiguration*
à la faveur de laquelle se réveillent, dans son

être spirituel, le trésor profond des correspondances,
l'accord intime des couleurs, le souvenir du rythme

antérieur, et la science mystérieuse du Verbe....[1]

En 1873, Mallarmé pouvait donc aisément obéir à son inspiration personnelle et nouvelle tout en répondant à la question qu'il se posait : par quelles louanges honorer la mémoire de Gautier ?

Ainsi, *Toast Funèbre* est la rencontre de deux thèmes, l'un substantiel, l'autre circonstanciel, l'un servant l'autre, si intimement qu'on ne distingue plus le prétexte de la cause. Il mêle, pour les mêmes raisons, deux sentiments adverses : douleur de céder au néant l'apparence mortelle la plus sacrée, la vie d'un poète, et fierté de lui arracher une immortalité, celle des œuvres, contre laquelle le néant ne peut rien.

Toast Funèbre se compose de trois parties dont l'auteur a voulu qu'un espace marquât la séparation. Et même de quatre puisque le premier vers

O de notre bonheur, toi, le fatal emblème !

demeure isolé, tel dans une oraison funèbre, le « texte » qui en indique le sujet : la mort de Gautier n'a qu'un sens, c'est la mort d'un poète ; la mort du poète.

v. 1.   *Toast Funèbre...* termes, en soi, violemment opposés et dont la suite du poème justifie l'association.

toi... apostrophe, qui s'adresse à Gautier, selon Mallarmé dans les notes biblio-

---

[1] M. Monda et F. Montel, *Bibliographie des poètes maudits. Stéphane Mallarmé*, p. 95.

graphiques qu'il avait rédigées, l'année
de sa mort, en vue de la publication de
ses *Poésies* que l'éditeur Deman prépa-
rait à Bruxelles.

Henri Mondor, dans sa *Vie de Mallarmé*, rapporte
un passage d'une lettre à François Coppée [1] qu'il
est intéressant de rappeler ici :

« ... Je ne serai pas samedi chez Lemerre ; voici
donc ce que j'ajoute afin que vous puissiez me représenter... Commençant par *O toi qui*... et finissant par
une rime masculine, je veux chanter en rimes plates
une des qualités glorieuses de Gautier : le don mystérieux de voir avec les yeux (ôtez mystérieux). Je
chanterai le voyant, qui, placé dans ce monde, l'a
regardé, ce qu'on ne fait pas. »

On voit ainsi ce que Mallarmé a abandonné de
son projet initial, ce qu'il a modifié ; *Toast Funèbre*
est, en effet, écrit en rimes plates et finit par une
rime masculine qui se trouve aussi dans le poème
Mai de l'*Année Terrible* qui venait de paraître
(1872) :

Superbe, tu luttais contre tout ce qui nuit
Ta clarté grandissante engloutissait la nuit.

Quant au début, si Mallarmé a gardé l'idée de
l'apostrophe, il l'a différemment articulée dans le
vers : au lieu du banal et indéfini : *O toi qui*, il a
dissocié le *O* exclamatif de son pronom, pour vigou-
reusement pousser entre les deux, l'inversion *de notre*

---

[1] Catalogue Blaizot, Paris, avril-mai 1933.

bonheur qu'il semble ainsi tenir au bout de l'épée, tandis que le *toi* en est d'autant isolé, grandi, encadré, défini avant d'être prononcé.

Le contexte indique assez que l'expression devenue si célèbre, *le voyant* (et que Mallarmé ne connaissait pas), n'approche pas de sa signification rimbaldienne. Il ne s'agit nullement ici de voir, d'un regard rapide de l'esprit, une surréalité jusque là inconnue et que les sens tendus, forcés, exaspérés, au-delà de leur jeu normal, ont fini par démasquer, mais au contraire, de voir d'un regard lent, attentif, amoureux, une réalité extérieure adorable et pour laquelle nos yeux sont faits.

> *de notre bonheur...* de notre destinée, à nous, poètes
>
> *l'emblème...* toi, Gautier, tu es l'emblème, le symbole de notre destin, à chacun de nous, les poètes.
>
> *fatal...* dans le sens étymologique : en qui parle le destin.

Après que l'exorde a insisté sur la vanité d'une évocation qui ne correspond à aucune vérité, la première partie du poème propose la thèse elle-même : tirée d'un cas particulier, la mort de Gautier et la glorification de son œuvre, elle s'élargit jusqu'à ce triste et hautain enseignement : il n'y a pas de survie. Tout retourne au néant. Seule, un peu de gloire, qui se transmet par la mémoire des hommes, s'attache à qui fut poète s'il a vraiment rempli son destin.

Considérant que le poème présentera bientôt une véritable action, on peut le tenir pour une tragédie autant que pour un panégyrique. Dès lors, dans cet acte d'exposition, apparaissent décor, lumière et personnages, qui sont le tombeau, l'ombre, les morts et l'espace, tandis que flotte une lueur à peine consolante, une promesse conditionnelle d'immortalité terrestre.

v. 2. *Salut de la démence et libation blême...* apposition au vers 1 et au vers 4.

salut de la démence... pour Mallarmé, il n'y a pas d'immortalité, au sens religieux du mot (ainsi le proclame du moins la suite du poème) ; son salut ne s'adresse donc à rien ; ce salut dans le vide est de la démence.

libation blême... nouveau contraste entre le terme complété et le complément ; la libation, sans objet réel, n'est qu'un semblant, une chose vaine, décolorée, blême.

v. 3. *Ne crois pas qu'au magique espoir du corridor*

J'offre ma coupe vide où souffre un monstre d'or... ne crois pas que j'offre ma coupe à l'âme immortelle.

magique espoir du corridor... périphrase pour survie ; *corridor* étant le passage de la vie à la mort, *magique* a le sens de vain ; avec *démence* et *blême*, il prépare la déclaration formelle des vers 7 et 8.

où souffre un monstre d'or... allusion, soit à une ciselure que présente la coupe que le poète tient en mains, soit, et l'on préfère ceci, au reflet concave et mouvant du fond de la coupe [1].

souffre... Mallarmé attribue l'idée d'une sensation à une action de pur mouve-

---

[1] Quand j'ai donné cette explication, en 1940, dans mon livre *L'Œuvre poétique de Stéphane Mallarmé* (p. 379), je ne connaissais pas l'anecdote que rapporte Henri Mondor (*Vie de Mallarmé*, p. 347) et qu'il tient lui-même de Virginie Dumont-Breton (*Les maisons que j'ai connues. Nos amis artistes*). La voici : « L'autre jour, dès l'aurore, aurait raconté Hérédia, j'ai vu accourir notre énigmatique Mallarmé. Sans préambule, il me dit : « Je viens de faire une pièce superbe, mais je n'en comprends pas bien le sens et je viens vous trouver pour que vous me l'expliquiez. » Il me lut sa pièce. Il y avait entre autres mystérieux alexandrins celui-ci :

J'offre ma coupe vide où souffre un monstre d'or.

Cela rimait avec un sombre corridor. Pour répondre à sa confiance en mes facultés de devin, je lui donnai l'explication que voici : « C'est très clair ; il s'agit d'une coupe ancienne où un artiste, Benvenuto Cellini, si vous voulez, a gravé dans l'or massif un monstre d'or qui se tord avec une expression de souffrance. » Stéphane, en m'écoutant, a bondi et s'est écrié : « Que c'est beau ! Que c'est émouvant ! » et il m'a quitté rayonnant et reconnaissant, en me disant : « J'ai monté dans ma propre estime et vous, mon cher, du même coup ! »

Si l'anecdote est vraie, il est bien amusant de voir Mallarmé « essayer » sa nouvelle manière sur le plus transparent des Parnassiens.

ment ; en fait, la souffrance est rarement immobile.

v. 5.   *Ton apparition*... celle qu'il susciterait par son toast.

v. 6.   *Car je t'ai mis moi-même en un lieu de porphyre*... je t'ai conduit au tombeau, j'ai suivi tes funérailles.

v.7 et v.8.   Déclaration par laquelle le poète affirme qu'il ne croit pas à l'immortalité de l'âme. Cette certitude désespérée s'exprime par le curieux emploi du verbe être (à qui Mallarmé rend ainsi son pouvoir affirmatif) suivi d'un long attribut logique. La solennité de l'expression *le rite est*... implique l'idée d'une nécessité absolue. On la traduit trop faiblement en disant : il faut. L'équivalent prosaïque serait plutôt : moi, je vous impose ce rite, moi, je vous dis que...

pour les mains... l'inversion de ce complément prouve assez qu'il n'est pas indifférent, ni au rythme du vers, ni au sens : devoir pénible aux mains vivantes, il faut qu'elles éteignent le flambeau de la vie, au moment de la mort.

v. 9.   *Et l'on ignore mal*... (mal = à tort) on a tort de ne pas croire.

Rapport grammatical : on ignore mal/ que ce beau monument l'enferme tout entier/si ce n'est...

Rapport logique : on a tort de ne pas croire qu'un mort n'est pas tout entier dans son tombeau ; il l'est sauf que, pour un écrivain, il subsiste, par le truchement de l'art, une sorte d'immortalité...

... élu pour notre fête

Très-simple de chanter l'absence du poète... vaste complément qui devance le nom, que Thibaudet appelle un « rejet syntaxique » (*op. cit.*, p. 317) et qu'on peut apparenter à une sorte de prolepse.

absence... il ne dit pas *mort* puisqu'il va parler d'une présence sous forme de sa gloire littéraire.

élu... dans le sens de choisi se rapporte à *monument*.

si ce n'est... la restriction (nisi) corrige le « tout entier » et annonce la thèse que Mallarmé propose dans le vers suivant.

v. 12, 13, 14, 15.   La hiérarchie *ordinaire* des propositions demanderait qu'on lise ces quatre vers dans l'ordre suivant : 12, 15, 14, 13. Ils présentent la thèse que Mallarmé développe dans le poème en un véritable drame, non le drame des hommes, celui de l'écrivain. Ces vers sont essentiels ; ils annoncent la théorie de Mallarmé quant à la nature, le rôle et le sort du poète et de la poésie. Il s'agit donc de les comprendre, non de les interpréter.

v. 12.   *La gloire ardente du métier*... la gloire
propre à l'écrivain.

v. 13.   *commune*... commune à toute gloire, et
non commune à tous les hommes. Le sens
du vers est éclairé par la variante de
1873 :

L'heure dernière et vile de la cendre

C'est l'heure de la mort du dernier
poète de la terre.

cendre... dans le sens propre : ce qui
reste de ce qui brûle ; Mallarmé a parlé
de la « gloire ardente », ce vers-ci désigne
donc la cendre de la gloire (non la cendre
de n'importe quelle vie). On voit par
quel détour Mallarmé revient aux grandes
métaphores consacrées (le flambeau...
de la vie, v. 7 ; la cendre de la gloire).

v. 14.   *Par le carreau*... Dans les *Fenêtres*,
Mallarmé a dit clairement :

Que la vitre soit l'art, soit la mysticité.

qu'allume un soir fier d'y descendre...
ce crépuscule, ce soir, c'est la mort de
Gautier, ou mieux, le reflet de son œuvre,
l'une étant le commencement de l'autre.
Ainsi, en lisant strictement ces quatre
vers, on arrive à un sens qui confirme
l'explication qu'en avait donnée Thibaudet [1] qui limite la gloire de l'écrivain

---

[1] *La Poésie de Stéphane Mallarmé*, p. 155.

au temps de son influence. En langage ordinaire : la gloire de l'écrivain, par l'évolution de l'art, *retourne,* revient prendre place dans la lumière de chaque jour.

v. 15.   *Retourne vers les feux du pur soleil mortel...* « pur soleil », c'est le vrai soleil comme « pur animal », c'est le vrai chat dans *Plainte d'Automne.*

La deuxième partie éclate sur trois épithètes

Magnifique, total et solitaire,

qui, d'un bond, méprisent toutes les transitions et toutes les précautions ; elles dressent l'immense scène vide où ne s'agitent plus que les figures informes du néant. Sur ce théâtre sans paroi, dans ce temple sans parvis, voici que s'avance sans marcher ce qui n'a plus de nom ni plus d'orgueil ; c'est Gautier ou quelqu'un de ses pareils,

Quelqu'un de ces passants, fier, aveugle et muet,
Hôte de son linceul vague, se transmuait
En le vierge héros de l'attente posthume.

Cet admirable dernier vers sonne dur et doux comme poésie pure et quel autre pourtant est plus chargé de sens et d'un sens qui importe à sa beauté ? Il est de ces paroles dont il est aussi vain de séparer forme et fond qu'il est loisible et plausible de le faire.

Vierge, attente, posthume, chacun de ces mots suggère un vide singulier, un état d'alerte ; mots-vigies, mots d'absence qu'une présence sublime

élève tout à coup aux dimensions de l'héroïsme.
Seul, au milieu d'eux, le mot *héros* était possible.
Et nécessaire parce qu'il présente le protagoniste
du drame.

A cette altitude, le drame peut se jouer. L'âme
qui a quitté ce monde et qui s'apprête aux curiosités
de l'au-delà, avide de son futur éternel, se voit elle-
même interrogée par cela qu'elle allait interroger.
A la rencontre de son angoisse, arrive, portée par
l'infini, une angoisse plus primordiale : celle du
néant qui s'inquiète de la vie :

> Souvenirs d'horizons, qu'est-ce, ô toi, que la Terre ?

L'homme qui, sur la terre, ne savait rien de la terre,
c'est à peine si sa réponse se formule ; elle est comme
le bruit de l'espace.

> Vaste gouffre apporté dans l'amas de la brume
> Par l'irascible vent des mots qu'il n'a pas dits,
> Le néant à cet homme aboli de jadis :
> « Souvenirs d'horizons, qu'est-ce, ô toi, que la Terre ?
> Hurle ce songe ; et, voix dont la clarté s'altère,
> L'espace a pour jouet le cri : « Je ne sais pas »

Dans ces vers culminants qui mettent en forme
l'inquiétude métaphysique et en action l'inexistence,
dans ce dialogue de spectres qui ne se renvoient que
des questions, l'originalité poétique consiste en ceci :
la chose même dont l'homme attendait réponse lui
fait une question. Renversement tragique. Ombre
anxieuse et interrogeante, interrogée par l'ombre
elle-même. Le néant attendant une certitude de qui
attendait une révélation. L'homme, question muette,

devient réponse. Quelle réponse ? Voix perdue dans l'espace.

Est-il possible, par le moyen paradoxal d'images verbales, d'exprimer l'informulé et l'infiguré, de communiquer, avec plus de grandeur, l'impression et même la sensation du néant ?

Mallarmé avait loué Edgar Poe d'avoir osé imaginer et exprimer, en poésie, les sensations *post mortem* dans *For Annie*. Peint-il autre chose ici que la fresque de l'éternité ?

La comparaison des deux textes serait déplacée, puisque la beauté du poème anglais réside non seulement dans son projet téméraire mais aussi dans des effets de rythme et de chant qui ne se traduisent ni ne se comparent dans une autre langue ; et tout ce qu'on peut dire, c'est que le mort d'Edgar Poe se souvient de la vie, tandis que le mort de Mallarmé ne se souvient même plus du souvenir de la terre. Mais les beaux mots de louange que Mallarmé adressa à Poe sont précisément ceux que mérite son propre poème, à cette différence près, que, pour lui, les experts n'ont point parlé[1] :

Voilà ce que fermées désormais à la parole, proféreraient les lèvres, où se pose et demeure l'énigmatique sourire funèbre. La réalisation de tel miracle poétique a été considérée par les experts comme un défi que se posa le génie. Si j'osais, une première fois avant de

---

[1] Dans le numéro du 26 octobre 1873 de la *Renaissance artistique et littéraire* qui avait lancé et annoncé « Le Tombeau », Emile Blémont, son directeur, rend compte de sa publication. Il fait l'éloge de la plupart des poèmes et cite celui de Mallarmé, sans commentaire, dans une simple énumération.

terminer ces notes, une seule ! porter un jugement
en mon nom propre, je dirais que la poésie de Poe
n'est peut-être jamais autant allée hors de tout ce
que nous savons, d'un rythme apaisé et lointain, que
dans ce chant... [1].

La description de l'au-delà quand on le nie, une
description sans modèle et sans objet, c'est une
gageure ; c'est exprimer l'inexprimable et faire
image de l'inconnaissable.

Y a-t-il dans la littérature française un prodige
de hauteur lyrique et de plasticité abstraite compa-
rable à celui-ci ?

Oui, succédant à Mallarmé, chez Paul Valéry, les
neuf vers de la *Jeune Parque* qui décrivent la mort,
par l'esprit, du moi spirituel :

Je soutenais l'éclat de la mort toute pure
Telle j'avais jadis le soleil soutenu...
Mon corps désespéré tendait le torse nu
Où l'âme, ivre de soi, de silence et de gloire,
Prête à s'évanouir de sa propre mémoire,
Ecoute, avec espoir, frapper au mur pieux
Ce cœur, qui se ruine à coups mystérieux
Jusqu'à ne plus tenir que de sa complaisance
Un frémissement fin de feuille, ma présence...

Oui, précédant Mallarmé, là où se trouvent toutes
choses dites, dans l'immense Hugo : « Un texte de
brouillons de *Dieu* peut, au premier regard, sembler
décrire « une mort du moi » très voisine des expé-
riences mystiques » [2] :

---

[1] *Les Poésies d'Edgar Poe*, Edition Deman, p. 190.
[2] Albert BÉGUIN, *Gérard de Nerval* suivi de *Poésie
et Mystique*, Paris, Stock, 1936, p. 133.

Dans l'obscurité sourde, implacable, inouïe,
Je me retrouvai seul, *mais je n'étais plus moi* ;
Ou du moins, dans ma tête ouverte aux vents d'effroi,
Je sentis, sans pourtant que l'ombre et le mystère
Eussent cassé le fil qui me lie à la terre,
Monter, grossir, entrer presque au dernier repli,
Comme une crue étrange et terrible d'oubli ;
Je sentis, dans la forme obscure pour moi-même
Que je suis et qui, brume, erre dans le problème,
Presque s'évanouir tout l'être antérieur...
... A peine de ma vie avais-je encore l'idée,
Et ce que jusqu'alors, larve aux lueurs guidée,
J'avais nommé mon âme était *je ne sais quoi*
Dont je n'étais plus sûr et qui flottait en moi.
Il ne restait de moi qu'*une soif de connaître*,
Une aspiration vers ce qui pourrait être,
Une bouche voulant boire un peu d'eau qui fuit,
Fût-ce au creux de la main fatale de la nuit [1].

De ces trois morceaux de bravoure (et dont la bravade n'est pas dans la seule virtuosité) celui de Mallarmé ne l'emporte-t-il pas en généralité, en abstraction, en émotion ?

En émotion surtout, car il y a chez Mallarmé une détresse encore vivace. Il songe à son propre destin et à sa propre misère. Il ne faudrait pas, en effet, ne pas voir le vers le plus essentiel du couplet :

Par l'irascible vent des mots qu'il n'a pas dits.

Le « vaste gouffre » est donc apporté « par » le vent de silence. Le néant est fait de l'impuissance de l'homme. Un livre, et le néant serait vaincu. Un

---

[1] Et voici encore la rime *fuit-nuit*.

livre transformerait la négation en affirmation, le rien en absolu, le silence et le vide en expression concertée et significative. Mais le *Livre* est impossible. Donc, le néant est.

v. 16 à 19. Ces vers, très simples à la surface, ont peut-être un sens plus difficile qu'il n'y paraît. Dangereuse simplicité de Mallarmé, piège à rebours. Ils sont un commentaire à « l'espoir du corridor » dont les hommes se leurrent avec une sorte d'humilité au lieu d'oser s'élever à l'orgueil « magnifique, total et solitaire » (« tremble » est donc pris dans le sens de craindre). Les vers une fois compris dans leur intention profonde, on voit aussitôt apparaître la nécessité et la beauté de leur structure. Et notamment la raison de l'inversion qui rejette le sujet dans le second vers, fait hardiment et seulement de trois épithètes auxquelles s'adjoint un dernier mot monosyllabique qui les montre comme du doigt ; ces épithètes caractérisent le vrai orgueil, celui de ceux qui acceptent l'idée du néant, et tel que n'osent pas l'éprouver ceux que soutient une religion de l'au-delà ; « mais » a donc toute sa valeur adversative : *mais* moi, *j'ai méprisé*...

v. 18. *cette foule...* ces hommes à l'orgueil timide.

hagarde... parce que cette foule peureuse redoute la mort.

v. 19. *(nous sommes) La triste opacité de nos spectres futurs...* cri d'humilité de la foule : nous sommes la moitié sombre de l'apparence lumineuse que nous serons un jour ; nous, pesants, grossiers et susceptibles, comme dit le catéchisme, nous serons un jour agiles, subtils et impassibles.

v. 20. *Mais le blason des deuils épars sur de vains murs...* ablatif absolu.
blasons des deuils... fait allusion aux écussons, tentures, catafalques qui, dans une maison mortuaire, incitent à la tristesse.
vains murs... murs qu'on ne voit plus, qui n'existent plus, puisqu'ils sont cachés par les draperies funèbres.

v. 21. *J'ai méprisé l'horreur d'une larme...* moi, qui ai le « magnifique » orgueil...

v. 22. *vers sacré...* chacun de ces adjectifs *sacré, vague, fier, vierge,* ont leur justification idéologique quoiqu'ils soient un peu de la poésie pure, et comme l'accompagnement musical du drame qui va se jouer entre les ombres et l'espace ; le vers du poète est sacré soit qu'il consacre la gloire de Gautier, soit que toute parole de poète est sacrée.
l'... quelqu'un.

v. 23. *Quelqu'un de ces passants, fier, aveugle et muet...*

Quelqu'un... c'est Gautier, et, par extension, tout vrai poète.

de ces passants... le sens strict du mot est le plus beau : ce sont tous ceux qui ont « passé ».

aveugle et muet... épithètes qu'il faut compléter par *sourd* du vers précédent et par

fier... dans le sens matériel d'immobile ; à eux tous, ils désignent les attributs absolus de la mort ; il faut encore leur ajouter

v. 24. *vague...* car l'image de la mort dépouille jusqu'à l'idée de forme.

v. 25. *En le vierge héros de l'attente posthume...* Dans ce beau vers, *vierge* a le sens mallarméen de neuf ou de naissant.

v. 26 à 31. Bien que les rapports des mots soient très clairs, nous aimons les préciser afin qu'apparaissent mieux la beauté et la grandeur du passage :

v. 26. *vaste gouffre...* apposition de *néant* ; trou d'air, dirait-on en langage d'aviateur, provoqué par *l'irascible vent.*

v. 27. *Par l'irascible vent des mots qu'il n'a pas dits...* c'est la même structure et le même rythme que dans :

Le transparent glacier des vols qui n'ont pas fui.
Le vierge, le vivace et le bel aujourd'hui

> v. 28. *à cet Homme...* le poète est l'homme par
> excellence, d'où la majuscule.
>
> *aboli...* mis à néant, suivant la défini-
> tion de Littré. Depuis *El Desdichado* de
> Gérard de Nerval, mot de l'époque et
> mot de Mallarmé qu'il employa, pour la
> première fois, dans *Ouverture ancienne
> d'Hérodiade.*
>
> v. 29. *Souvenirs d'horizons...* apposition de
> *Terre* et nous nous défendons de dire
> combien elle est belle !
>
> *ô toi...* homme aboli.
>
> v. 30. *hurle ce songe...* le néant hurle une chose
> qui n'est plus que songe pour l'homme
> mort à qui il s'adresse.
>
> v. 31. *voix...* c'est la voix de l'homme.
>
> v. 32. *L'espace a pour jouet le cri...* Et l'espace
> joue avec la réponse de cette voix.

La troisième partie du poème définit la mission
du poète et son pouvoir magique de nommer.

Elle contient, en effet, un art poétique qui a
l'accent d'une profession de foi. Et les principes, ou
les dogmes, en sont si précis dans la pensée de Mallarmé que, revenant sur son évangile, dans *Prose
pour des Esseintes*, il ne peut ou ne veut qu'en
répéter tels quels les mots et les métaphores.

Et puisqu'en l'occurence, le poète, c'est Gautier,
la parabole commence :

> Le Maître, par un œil profond, a, sur ses pas,
> Apaisé de l'éden l'inquiète merveille
> Dont le frisson final, dans sa voix seule, éveille
> Pour la Rose et le Lys le mystère d'un nom.

Dans un jardin, dans le beau jardin du monde,
le maître se promène. Des fleurs obscures y fris-
sonnent d'une vie confuse et inutile jusqu'au moment
où elles sont vues et nommées. Alors commence
pour elles une vie qui brille et qui sert. En échange
de ce double honneur, les fleurs transfigurées livrent
leur nom. C'est le poète qui les voit et qui les
nomme, qui leur superpose la vie deuxième et
supérieure et qui cueille leur nom. Le mystère des
noms, le mystère utilisable du nom des fleurs, lui
est révélé par la vie végétale elle-même dans le
dernier frisson de son inquiétude maintenant apaisée
et de son attente maintenant comblée.

De là, dans la symbolique mallarméenne, l'identification de fleurs et de mots. De là aussi cette sorte
de mythologie poétique calquée sur les croyances
religieuses. Par l'échange ineffable entre le poète
et la fleur, Mallarmé donne valeur de commencement
à ce qui est une fin. Quand finit la réelle vie terrestre
des fleurs, commence leur artificielle vie livresque
et inaltérable. Vie inférieure, prélude d'une vie
immortelle qui commence à la mort ; et résurrection
en fonction de l'individualité corporelle : les paroles,
Rose et Lys, demeureront dans les « vrais bosquets ».

L'épithète *vrais* était doublement nécessaire, non seulement pour corriger l'impression d'opération factice, encore que merveilleuse, mais aussi pour entériner la théorie littéraire que ces vers formulent. Il était urgent, en effet, qu'un mot vînt proclamer qu'elle n'était pas une fantasmagorie de l'imagination et que la vie spirituelle et prolongée des choses est la véritable réalité.

Cette réalité de la fiction artistique, l'œuvre, — en donnant à ce mot son sens étymologique le plus fort, l'acte — l'œuvre seule peut l'atteindre mais non le pauvre rêve :

> C'est de nos vrais bosquets déjà tout le séjour,
> Où le poëte pur a pour geste humble et large
> De l'interdire au rêve, ennemi de sa charge :

Ces vers ont souvent été isolés du contexte aux fins d'illustrer toutes sortes de thèses. Il les faut laisser dans la consécution du poème, avec leur sens exact. Quand *rêve* a le sens grave qu'il lui a fait autre part, Mallarmé l'honore d'une majuscule ; la minuscule, pour un mot tant aimé, est mauvais signe et l'indice de sa moindre valeur.

La *charge* du poète est d'écrire ; le rêve est le propre de celui qui n'écrit pas et qui s'absorbe et se nourrit de vaines et imaginaires compensations. On sait comment Paul Valéry a repris cette idée, l'a répétée, l'a développée, l'a défendue, base d'une très virile doctrine littéraire.

Le poème s'achève.

> Afin que le matin de son repos altier,
> Quand la mort ancienne est comme pour Gautier

De n'ouvrir pas les yeux sacrés et de se taire,
Surgisse, de l'allée ornement tributaire,
Le sépulcre solide où gît tout ce qui nuit,
Et l'avare silence et la massive nuit.

Ce final, enfermant à la fois le général et le particulier, la mort de tout poète et la mort de Gautier
dont le nom est à la rime, groupe et resserre tous
les éléments du poème qui, après enseignement,
revient à son début et à son objet et affirme ainsi
son unité admirable et l'art de sa composition.

> v. 32. *Le Maître...* Mallarmé revient à son
> sujet, à Théophile Gautier.
>
> v. 33. *Inquiète merveille de l'éden...* l'éden,
> c'est le jardin des fleurs arrivées à l'exis-
> tence poétique, le jardin des fleurs
> recréées et, par extension, toute la
> création. La *merveille* de l'éden est une
> autre formule pour : la beauté du monde,
> étant entendu que la beauté du monde
> n'est pas tant que le poète ne la chante
> pas.
>
> *inquiète...* les fleurs sont agitées d'on
> ne sait quel souffle obscur, sorte d'attente
> et d'angoisse qui précèdent leur véritable
> avènement.
>
> *éden...* Dans *La Musique et les Lettres*
> (éd. d'Oxford, p. 142), Mallarmé appelle
> le poète, « ce civilisé édénique »...
>
> v. 34. *Dont le frisson final...* Cette agitation des
> fleurs cesse au moment où elles sont vues

par « l'œil profond » du poète. Mais, don
réciproque, à ce moment où meurt leur
inquiétude, elles soufflent et livrent à
celui qui les apaise et leur confère la vie
seconde, le « mystère de leur nom ».

v. 35. *Pour*... au profit de, quant à.

le mystère d'un nom... La Rose et le
Lys suscitent leur nom en tant que
mystère.

Rose et Lys... La majuscule indique
qu'elles ont eu accès à leur vie verbale.
Rappelons que dans la version du *Tombeau*, Mallarmé n'avait pas encore mis
les majuscules ; les mettre après coup
prouve assez une intention, et conforme
à l'intention du poème. Il ne faut pas
exagérer la valeur symbolique du choix
des fleurs ; la rose et le lys sont, pour
tout le monde des fleurs-types. Dans
Prose, ce sont les iris qui sont appelés à
la dignité.

v. 36. *ce destin*... qui est défini dans les quatre
vers qui précèdent ; ce destin du poète,
qui est de nommer le monde, est-il,
comme toute chose, promis au néant ?
Le poème revient ici à son début et, par
une sorte de prétérition à rebours,
affirme l'existence de ce qu'il affirmait
n'être pas. Oubliez, dit Mallarmé à ses
confrères et aux admirateurs de Gautier,
que je vous ai certifié que rien n'existe.

La gloire du poète existe, et notamment la gloire de celui qui nous réunit aujourd'hui car il a éminemment rempli sa mission de poète.

v. 37. *croyance sombre...* la croyance en la disparition totale qu'il avait lui-même proclamée. On voit combien Mallarmé serre de plus en plus son sujet — et que, loin de s'égarer en considérations incidentes, il revient à son centre.

v. 38. *Le splendide génie éternel n'a pas d'ombre...* la gloire du génie ne subit pas d'éclipse. Sa mort n'y fait rien, il continue de vivre. C'est la négation du néant. Ou du moins, en regard de lui, la seule compensation qu'on ait.

v. 39 et sq. La syntaxe se rétablit comme suit : Je veux voir survivre... à qui... dans le devoir... *Survivre* a donc un sujet *(je veux)*, un complément direct *(à qui...)* et un complément de manière *(dans...)* ; la difficulté et l'orchestration de ce vers résident dans l'équilibre de ces trois dépendances.

de votre désir soucieux... votre s'adresse à ceux qui l'écoutent élever son toast funèbre.

soucieux... vous qui êtes soucieux de la gloire de Gautier.

v. 40. *à qui...* à Th. Gautier.

v. 41. *Idéal que nous font les jardins de cet astre...* dans le *devoir idéal* que nous imposent les œuvres de Théophile Gautier.

les jardins... dans l'éden ; chaque poète a ses jardins de fleurs éveillées ; les jardins désignent donc symboliquement les œuvres d'un poète.

astre... Th. Gautier ; le démonstratif indique suffisamment qu'il s'agit de celui qui vient d'être désigné ; la métaphore *astre* est appelée ou était annoncée par *splendide* et *n'a pas d'ombre.* Dans le dernier vers du sonnet *Quand l'ombre menaça de la fatale loi,* le mot *astre* désigne mêmement le poète et cette fois, sans équivoque possible.

v. 42. *désastre...* En rapprochant le premier vers définitif du sonnet :

Victorieusement fui le suicide beau

d'une version primitive :

Toujours plus souriant au désastre plus beau,

Albert Thibaudet [1] avait déjà vu que *désastre,* dans le langage de Mallarmé, veut dire suicide, mort, disparition ; c'est le dernier sens, plus simple, qu'il

---

[1] Albert THIBAUDET, *La Poésie de Stéphane Mallarmé*, pp. 285 et sq.

faut donner ici à *désastre* ; pour faire honneur à la mort de Gautier, que l'on fasse que son œuvre survive.

v. 43.   *Une agitation solennelle...* périphrase qui désigne l'ensemble des œuvres de Gautier.

v. 44.   *pourpre ivre et calice clair...* La Rose et le Lys ; les fleurs, remplacées par leur description, sont en apposition du mot *paroles* comme étant, non sa périphrase mais sa définition symbolique.

v. 45.   *Pluie et diamant...* Apposition de *regard* ; humidité et chaleur, conditions, pour les fleurs, nécessaires à leur naissance et à leur vie.

     regard diaphane... L'œil profond est celui qui voit plus et mieux, doué du don de vie.

v. 46.   *dont nulle ne se fane...* parce que dès qu'elles sont regardées par le poète, elles deviennent immortelles ; les mots transfigurés par lui ont une vie propre qui échappe à la corruption du langage.

v. 47.   *Isole...* Dans *Prose pour des Esseintes* (Str. VII), même symbolisme : les fleurs se parent d'un contour lumineux qui les isole de la nature ordinaire.

v. 48.   *de nos vrais bosquets...* Il est trop évident que *bosquet*, *jardin*, *éden* sont des métaphores qui se soutiennent et mutuellement s'expliquent. Ces bosquets où éclosent les fleurs-mots ne sont pas une fiction mais la seule réalité durable.

nos... nous, les poètes.

v. 49.   *le poète pur...* c'est le vrai poète (cf. le pur soleil).

v. 50.   *l'...* le séjour des vrais bosquets.

rêve et *charge* s'opposent et leurs places symétriques dans le vers accusent leur opposition.

v. 51.   *le matin de son repos altier...* Le lendemain de la mort du poète.

v. 52.   *la mort ancienne...* qui a eu lieu, la mort survenue.

comme pour Gautier... indique que, dans le passage précédent, Mallarmé parlait du poète en général. Cet hémistiche assimile Gautier au poète pur à titre exemplatif.

v. 53.   *yeux sacrés...* les yeux qui ont ce pouvoir divin de créer en nommant.

De n'ouvrir pas les yeux sacrés et de se taire... ce vers résume par la négative ceux (44 et sq.) qui ont défini la mission du poète : si la mort de chacun est de quitter les biens de ce monde, la mort du poète, c'est ne plus regarder et ne plus parler, et, précisément, ne plus regarder du regard qui nomme.

v. 55. *Le sépulcre solide...* rappelle le *lieu de porphyre* du début.

où gît tout ce qui nuit... ce qui nuit à sa fonction de poète et que le vers suivant explicite :

v. 56. *Et l'avare silence et la massive nuit...* On voit les parallélismes de *yeux sacrés* et *massive nuit* d'une part, et *se taire* et *avare silence* d'autre part, contenus dans deux vers synthèses qui se répondent, éclairant, sans plus pouvoir en douter, le sens du premier vers. Si le poète a failli à sa charge, et si au lieu de se l'interdire, il s'est complu dans le rêve, on le mettra tout entier dans le sépulcre de porphyre, voué au néant, comme chacun de nous. Si au contraire, il a rempli sa tâche, on ne mettra au tombeau que la nuit (l'absence de regard) et le silence (l'absence de parole), mais commencera la vie des œuvres.

On se rappelle que Mallarmé a songé qu'*Hérodiade* pouvait représenter le poème total dont il rêvait. Par trop d'attaches cependant, *Hérodiade* appartient encore à son ancienne manière et à la période parnasso-symboliste.

Une tentative entièrement neuve le conduisit à *Igitur*. Ce fut, c'est un échec, en dépit de son intérêt prodigieux en tant que spécimen de prospection

mentale. L'art vit de délices concrètes et *Igitur*
voulut s'en passer.

Nul doute, *Toast Funèbre* est un essai de plus du
même projet, une forme incantatoire cette fois, où
Mallarmé crut pouvoir intégrer le tout de son âme
et de sa science. C'est une réussite. Si son thème
principal — l'affirmation du néant et de la volonté
de gloire par quoi on lui échappe — ne nous en
assurait, il existe des indices plus modestes mais
non moins sûrs.

Toast Funèbre fut, pour Mallarmé, un point de
départ : ses idées, ses métaphores, son vocabulaire,
son allégorie, tout, en lui, lui servira. Il contient
l'avenir de plusieurs de ses plus beaux poèmes. De
plus, il est long. Mallarmé a le souffle court, à l'ordinaire. Le sonnet est souvent sa mesure. La longueur
d'*Hérodiade* et celle du *Faune* ne sont pas inhérentes
au lyrisme ; conçus tous deux pour le théâtre, les
exigences de la scène et du dialogue les ont naturellement allongés.

Toast Funèbre, lui exclusivement lyrique, lyrique
et didactique, est le seul poème, dans toute son
œuvre, qui atteigne cinquante-six vers. Après cela,
il n'y aura plus que les quatorze quatrains de *Prose*
qui dépasseront le chiffre habituel.

La conception d'*Igitur* était gratuite, je veux dire
laissée tout entière à l'inspiration. Celle de *Toast
Funèbre* se voyait déterminée par une circonstance
qui obligea Mallarmé à tenir compte de sa servitude
bienfaisante. Sa pensée, encadrée par les limites
d'un sujet venu du dehors, et sauvée ainsi de l'indéfini, s'occupa d'agencer ses différentes données.

Ainsi, *Toast Funèbre* représente le moment unique où, en un lieu de trêve et même d'accord, des tendances adverses cessent de se combattre ; le point de rencontre d'une doctrine et d'une méthode, de l'actualité et de l'absolu, de l'inspiration et du métier non encore prépondérant.

Tel quel, ce grand et cher poème mérite une place de choix dans l'œuvre de Mallarmé. Grâce à lui, l'œuvre rêvée, c'est cette œuvre écrite.

SAINTE

A la fenêtre recélant
Le santal vieux qui se dédore
De sa viole étincelant
Jadis avec flûte ou mandore,

Est la Sainte pâle, étalant
Le livre vieux qui se déplie
Du Magnificat ruisselant
Jadis selon vêpre et complie :

A ce vitrage d'ostensoir
Que frôle une harpe par l'Ange
Formée avec son vol du soir
Pour la délicate phalange

Du doigt que, sans le vieux santal
Ni le vieux livre, elle balance
Sur le plumage instrumental,
Musicienne du silence.

Sainte, c'est sainte Cécile. Il est tout à fait dans la manière de Mallarmé d'abandonner le nom propre qui limite et restreint et de faire honneur à l'adjectif.

Et sainte Cécile, c'est Madame Brunet... mais ceci nous amène à la genèse du poème que nous empruntons aux *Œuvres Complètes* de Mallarmé (édition de la Pléiade) où sont recueillis les documents qui la racontent : « L'époque de la composition de ce poème nous est fournie par une lettre de Mallarmé à Henri Cazalis datée : « Tournon, mardi soir 5 décembre 1865 » où se trouve cette phrase : « Je vous envoie un petit poème *mélodique* que me demandait Madame Brunet », phrase que confirme le post-scriptum d'une lettre adressée le lendemain par le poète à Théodore Aubanel :« Je te charge, en remettant le billet ci-joint à Brunet, de lire à Madame une sainte Cécile que je lui avais promise. C'est un petit poème mélodique et fait surtout en vue de la musique. »

A quoi Aubanel répondait le 21 décembre : « J'ai remis et lu à Mme Brunet tes stances à sainte Cécile, dont elle a été heureuse. Ces stances m'ont plu beaucoup : cela ressemble à une vieille peinture de missel, à un vitrail ancien... »

Mallarmé était, à vrai dire, un peu en retard dans son envoi, car Mme Brunet s'appelait Cécile et il s'était proposé de lui adresser ce poème le jour de sa fête patronymique, le 22 novembre.

Mme Brunet était la femme de Jean Brunet d'Avignon, l'un des initiateurs du Félibrige. Entré en relations par l'entremise d'Emmanuel des Essarts et de Théodore Aubanel avec Jean Brunet et sa femme, Mallarmé avait vu ceux-ci lui témoigner ainsi qu'à Mme Mallarmé une très vive sympathie, et à la naissance de Geneviève Mallarmé, Mme Brunet avait accepté d'en être la marraine.

Il existe de ce poème (collection Henri Mondor) un manuscrit d'une forme un peu différente et qui semble bien être l'original de 1865. Sur ce manuscrit, le poème porte ce titre plus explicite :

SAINTE CÉCILE

Jouant sur l'aile d'un chérubin [1]

(Chanson et image anciennes)

A la fenêtre recélant
Le santal vieux qui se dédore
De la viole étincelant
Jadis parmi flûte ou mandore

---

[1] Les variantes de ce manuscrit n'apportent aucun éclaircissement important pour le texte. Le sous-titre, au contraire, l'illumine définitivement. Je ne connaissais pas cette version qui donne raison à mon interprétation quand je publiai mon livre en mars 1940 : *L'Œuvre Poétique de Stéphane Mallarmé* ; je soulignais (et j'insistais p. 403-404) que c'était l'aile de l'ange qui formait la harpe sur laquelle jouait le doigt, la phalange du doigt de la Sainte. Cette explication me semblait nécessaire et fondamentale pour visualiser le poème. M. Henri Mondor, dans sa *Vie de*

Est une Sainte, recélant
Le livre vieux qui se déplie
Du Magnificat ruisselant
Jadis à véprée et complie,

Sainte à vitrage d'ostensoir
Pour clore la harpe par l'ange
Offerte avec son vol du soir
A la délicate phalange

Du doigt, que, sans le vieux santal
Ni le vieux livre, elle balance
Sur le plumage instrumental,
Musicienne du silence.

Stéphane Mallarmé, après avoir tenu longtemps privée cette « pièce de circonstance » la communiqua, en 1883, à Verlaine [1] pour ses *Poètes Maudits*. Elle y parut en avril 1884, après une première publication dans la même étude de Paul Verlaine (*Lutèce*, numéro du 24 au 30 novembre 1883), puis dans la *Décadence* en 1886 et fut réunie aux *Poésies*[2], en 1887. (p. 1462-1463).

Mallarmé (1941), remarque d'ailleurs que ce « titre plus ancien, et jusqu'ici, resté inconnu, peut aider à réduire les conflits entre commentateurs. » Intime satisfaction de voir que l'interrogation patiente, passionnée et difficile d'un texte en livre la clef, à défaut des documents inaccessibles et... rapides.

[1] Dans sa version définitive.

[2] Il s'agit de l'édition photolithographiée de la *Revue Indépendante*.

Cette mélodie poétique se déchiffre aisément, pensons-nous ; bornons-nous à quelques remarques.

Str. I, v. 1. *Recélant*... Il est nécessaire d'attirer l'attention sur ce verbe que les commentateurs ont négligé ; (notamment Soula qui, faute d'en tenir compte, décrit la Sainte « *avec* sa viole de santal et d'autres instruments ») [1].

Et pourtant, *recélant*, clef du poème, se trouve à une place évidente. Or, recéler voulant dire *cacher*, *enfermer* pour tout le monde, a la même signification pour Mallarmé. Tout est donc clair : un vitrail (A ce vitrage d'ostensoir) représente une fenêtre (à la fenêtre) ; la fenêtre cache, recèle les instruments qu'on ne voit donc pas mais que le poète suppose entourer une sainte Cécile. Dans l'encadrement de la fenêtre, apparaît la sainte ; elle est, selon l'expression la plus simple, *à la fenêtre*, ses instruments de musique n'étant pas visibles. *A la fenêtre* et *à ce vitrage* ne sont pas, ainsi qu'on pourrait le penser, deux façons de désigner la même chose, comme on

---

[1] Pour le reste, le critique a raison de dire que « la pièce présente l'intérêt de bien montrer la conception spatiale du poème » (*La Poésie et la Pensée de Stéphane Mallarmé. Essai sur l'hermétisme mallarméen*, p. 57). N. B. Les différentes plaquettes de C. Soula sont épuisées, mais je renvoie au recueil qui les réunit toutes : *Gloses sur Mallarmé*, préface de Jean Cassou. Editions Diderot, Paris, 1945.

remplace joli par beau pour éviter une
répétition. Non, pour le précis Mallarmé,
à d'autres mots correspondent d'autres
choses. Le vitrage représente lui-même
une fenêtre derrière laquelle on peut présumer, puisqu'il s'agit d'une sainte
Cécile, que se trouvent ses instruments
d'ailleurs muets. Ce qu'on voit, c'est le
livre vieux du Magnificat étalé par la
musicienne.

v. 2.   *Le santal vieux... de sa viole...* construction, enjambement, disposition absolu-
ment parallèles dans la deuxième strophe :
Le livre vieux... du Magnificat ruisselant...

v. 3.   *étincelant...* Mallarmé ne craint pas de
multiplier ces participes présents que,
non sans raison, on évite le plus souvent.
C'est qu'il faut les manier et les harmo-
niser. Déjà, en mai 1862, Mallarmé avait
écrit un sonnet *Vere Novo* qui prit plus
tard le titre de *Renouveau* où il jouait du
son *an* comme d'un véritable instrument
de musique (Voir E. Noulet, *L'Œuvre
poétique de Stéphane Mallarmé*, p. 54).

v. 4.   *mandore...* ce mot qui rime avec *dédore*
se trouve aussi dans le sonnet *Une dentelle s'abolit...* où il rime avec le simple du
même verbe, tandis qu'on rencontre
viole dans *Don du Poème*. Cette courte
strophe mentionne à elle seule trois instruments de musique, avec la harpe dans

la troisième strophe, c'en fait quatre
pour le poème.

Str. II, v. 4. *jadis*... Citons ici l'explication de M.
Mauron : « L'art humain, dit-il, sous les
aspects où il préoccupe Mallarmé, c'est-
à-dire en tant que Musique et Littérature,
est ici représenté par la viole et le livre.
Mais ce sont, pour la Sainte, des instruments du passé, comme il ressort du mot
symétriquement répété *jadis* ». (Charles
MAURON, *Mallarmé l'obscur*. Paris, Editions Denoel, 1941.)

Str. III, v. 3. *avec son vol du soir*... c'est parce qu'elle
est déployée pour le vol du soir que l'aile
peut simuler une harpe.

v. 4. *Pour*... Toute la valeur des deux dernières
strophes est dans le sens de cette modeste
préposition ; les objets usuels étant ou
invisibles, ou vieux, ou décolorés, le
doigt de la jeune femme demeure en
suspens et le poète imagine, utilisant les
motifs réels du vitrail, que le doigt joue
sur la harpe que forme l'aile d'un ange
(une harpe... par l'Ange... formée). Ces
deux dernières strophes ne sont donc pas
« l'interprétation poétique » des deux
premières, comme le veut Camille Soula,
mais la continuation de la description
réelle du vitrail ; l'allégorie réside unique-
ment dans l'idée que le doigt joue sur
l'aile, déployée en harpe, de l'ange.

A la même époque, en 1865, dans la troisième partie de la *Symphonie Littéraire*, celle qui concerne Baudelaire, il y a explicitement cette fois, la même vision. Mallarmé y décrit la sorte d'exaltation que lui procure la lecture des *Fleurs du Mal*, et déclare qu'il voit « des anges blancs comme des hosties (qui) chantent leur extase en s'accompagnant de harpes imitant leurs ailes... »

Str. IV, v. 3. *plumage instrumental*... cette rare association de mots ne suffisait-elle pas à la représentation et à l'interprétation justes du vitrail ?

Ainsi ces stances sont purement descriptives, purement parnassiennes dans leur donnée. Leur vertu étrange est dans le style, dans la syntaxe, dans les répétitions, dans la composition symétrique, dans l'effort d'assurer, par les mots, et leur place et leur rapport et leurs sons et la construction de chaque vers, une audition plus mystérieuse.

Quand l'ombre menaça de la fatale loi
Tel vieux Rêve, désir et mal de mes vertèbres,
Affligé de périr sous les plafonds funèbres
Il a ployé son aile indubitable en moi.

Luxe, ô salle d'ébène où, pour séduire un roi
Se tordent dans leur mort des guirlandes célèbres,
Vous n'êtes qu'un orgueil menti par les ténèbres
Aux yeux du solitaire ébloui de sa foi.

Oui, je sais qu'au lointain de cette nuit, la Terre
Jette d'un grand éclat l'insolite mystère
Sous les siècles hideux qui l'obscurcissent moins.

L'espace à soi pareil qu'il s'accroisse ou se nie
Roule dans cet ennui des feux vils pour témoins
Que s'est d'un astre en fête allumé le génie.

Ce sonnet porta longtemps le titre de *Cette Nuit...* :
en 1886, quand Mallarmé le publiait, pour la seconde
fois, dans la revue *Le Scapin* (16 octobre) ; le 7 mars
1887, dans les *Ecrits pour l'Art*. La même année,
dans la belle édition photolithographiée du manuscrit
de ses poésies, Mallarmé supprimait le titre en donnant le sonnet dans la version définitive.

C'est à Verlaine qu'on en doit la révélation. Dès
la fin de l'année 1883, il commençait, en effet, dans
la revue *Lutèce*, la série des *Poètes Maudits*. Le tour
de Mallarmé vint le 17 novembre mais Verlaine ne
rappelait ce jour-là que *Placet Futile* et le *Guignon* ;
la semaine suivante, il présentait quatre poèmes :
Don du Poème, Sainte, Apparition et *Cette Nuit...*
Verlaine avait demandé à Mallarmé de lui envoyer
du neuf :

... J'espère que vous serez content de moi, mais
que j'aimerais donc avoir de vous de l'inédit, vite !
vite !... [1]

Et Mallarmé de lui envoyer de l'ancien inédit, si
l'on peut dire : le 3 novembre, en effet, Mallarmé
écrivait à Charles Morice, qui s'occupait avec Verlaine
de la revue *Lutèce*, et lui disait notamment :

... Il faudrait dix minutes de causerie pour vous
expliquer que je n'ai pas de vers nouveaux inédits,
malgré un des plus gros labeurs littéraires qu'on ait

[1] Henri MONDOR, *L'Amitié de Verlaine et Mallarmé*.
Gallimard, Paris, 1940 (p. 66).

tentés, parce que tant que je manque à ce point de loisir, je m'occupe de l'armature de mon œuvre qui est en prose... Les vers que je vous envoie là sont donc anciens, et du même ton que ceux que vous pouvez connaître... [1]

Dans un troisième article, Verlaine fit connaître le *Tombeau d'Edgar Poe*, inconnu aussi quoique déjà publié. Les poèmes étaient accompagnés d'un commentaire généreux et chaleureux. C'était la première fois qu'une voix autorisée parlait de Mallarmé avec cette compréhension et cette sympathie. Aussi, le dernier numéro de *Lutèce* à peine paru, Mallarmé, toujours ponctuel, envoyait à Verlaine, une lettre amicale dont voici le début :

> Paris, 87, rue de Rome.
>
> Mon cher Verlaine,
>
> Comme il faut que le jour de l'an, et ses horreurs, aient piétiné sur moi, n'est-ce pas ? pour que je ne vous aie pas serré la main tout de suite après avoir lu le numéro de *Lutèce* qui complète votre série ! Je n'ose vous dire : merci, parce que je paraîtrais accepter, comme autre chose qu'une bonne parole d'amitié spirituelle, tant d'éloge que vous me donnez... [2]

D'après la lettre qu'il écrivait à Charles Morice, le sonnet qui nous occupe daterait de la même époque que les autres poèmes dont on sait maintenant que Mallarmé y travaillait aux environs de 1865. Bien qu'il qualifie en bloc tous ces vers d'« anciens », on

---

[1] *Opus cit.*, p. 67.

[2] Extrait d'une lettre autographe qui m'a été donnée par M. Jean Schlumberger.

peut présumer qu'ils n'avaient pas tous la même
ancienneté. En fait, *Cette Nuit* était le seul poème
tout à fait inconnu. C'est le seul dont les lettres que
Mallarmé écrivait à Cazalis le tenant au courant de
son travail quotidien, ne parlent pas. Nulle trace,
nulle mention. Tandis que tout indique qu'il fut
écrit probablement dans un temps assez proche (peu
avant ou peu après) de *Toast Funèbre* qui parut en
1873. Quand Mallarmé le donnait à Verlaine, il était
donc déjà vieux, non de vingt ans comme les trois
autres, mais de dix ans ce qui était à peu près le
temps nécessaire, pour ses poèmes, de grandir et de
mûrir.

La filiation du sonnet au *Toast Funèbre* est évidente : il a d'abord le même décor, qui n'est rien
moins que l'espace tout entier et la nuit des temps,
perçus en tant que sensation, une certaine nuit. De
plus, le thème de l'un se déduit logiquement du
thème de l'autre. *Toast Funèbre* proclamait, en effet,
que seule la gloire du poète échappe au néant. Le
sonnet tire de ce raisonnement sa conséquence
directe : vainqueur du hasard, le poète, tout poète,
moi poète, représente dans l'univers une lumière
insigne, et la certitude consciente qu'il en a, est une
splendeur à côté de quoi toutes les splendeurs du
monde, y compris la plus luxueuse fête stellaire,
ne sont rien.

Le premier quatrain est, en effet, une allusion aux
années funestes où Mallarmé désespéra de ses forces
créatrices. Le premier vers

Quand l'ombre menaça de la fatale loi

qu'est-il, sinon une périphrase pour ce qu'il ne veut pas nommer ? Le néant qui frappe de vanité toute entreprise humaine, atteignant même la plus sacrée de toutes, l'œuvre du poète, que vient désigner le mot *Rêve*, à qui, pour remplir cet office la majuscule est rendue.

A ce rappel du temps où s'assombrissaient ses suprêmes espoirs, il oppose, dans les trois autres strophes, le point d'appui certain où s'affermit son équilibre quand, par le poème fait, son génie se prouva.

Plus haut que les lumières de la nuit (deuxième quatrain), plus joyeuse que la fête du ciel nocturne, plus vraie que le déploiement luxueux des guirlandes stellaires, brille, à travers le temps et l'espace qu'elle éclaire (premier tercet), l'œuvre du poète [1].

Le sonnet gravite donc vers les mêmes idées que celles de *Toast Funèbre*. La différence avec lui, et avec tant d'autres poèmes, c'est qu'il se termine, pour une unique fois, par une affirmation. Ailleurs, Mallarmé a beau déclarer que, dans la vaste et informe opacité du monde, seul l'acte créateur est une lumière, il n'en retombe pas moins sur l'idée décourageante que l'acte créateur est impossible, lui est impossible. Ce poème-ci, à côté de tous ceux qui disent l'impuissance et l'amertume, c'est le chant de la confiance.

---

[1] Un passage de la *Musique et les Lettres* (p. 45) dit en prose ce que disent ces vers et se termine par des mots analogues : « ...à travers l'espace vacant, en des fêtes à volonté et solitaires ».

Enfin, il se rattache à *Toast Funèbre* par les mérites de l'exécution, car ils appartiennent tous deux à ce moment béni de l'évolution stylistique du poète où les procédés ont encore pour effet d'élargir le rayonnement des mots en attendant que, devenus envahissants, ils le rétractent. Et mieux encore que *Toast Funèbre*, il montre ce qu'un hermétisme mitigé, si j'ose dire, loin d'altérer la grandeur du symbole, lui apporte en beauté et en mystère.

Je ne crois pas qu'on puisse lire le poème du premier regard. Mais qu'on le relise, et, aidé par Mallarmé, on découvrira bientôt le sens clair que l'on peut établir strophe à strophe et vers à vers.

Str. I. Traduction prosaïque : quand le vieux rêve, ambition et souffrance de ma vie, fut menacé de disparaître dans l'ombre du néant *(la fatale loi)*, il replia son aile en moi.

v. 3. *Plafonds funèbres...* pour la compréhension du poème, il faut sans cesse se rappeler que son titre primitif était, jusqu'en mars 1887 : *Cette Nuit...* ; *funèbres* est donc une épithète de couleur réelle et de couleur morale ; le sens moral ayant été appelé par une association naturelle avec l'idée de la mort (la mort possible du Rêve). Ces « plafonds funèbres » sont donc ceux du ciel, la nuit.

v. 4. *Indubitable...* rareté, non tant de l'épithète elle-même que de sa présence dans

un vers et de sa jonction à « aile ». Le
poète peut douter de la réalisation de
son rêve, non de son existence ni de sa
résistance. Et Mallarmé, en particulier,
peut douter qu'il écrive jamais son
œuvre, bien qu'il se sache indubitable-
ment poète [1].

Str. II. Traduction prosaïque : cette nuit-ci, toute
étoilée de constellations aux noms connus,
est comme une salle immense, tendue de
noir, somptueuse décoration funéraire
de je ne sais quelle royale fantaisie. Ainsi,
le quatrain qui est une description de la
nuit constitue comme une apposition
du titre ancien.

v. 1 et 2. Ces vers d'une résonance si baudelairienne deviennent, au contraire, authen-
tiquement mallarméens dès qu'on voit
l'origine de la métaphore, prolongée
assez pour qu'elle devienne allégorie.

En continuant de se souvenir du titre
ancien dont le démonstratif est vraiment
comme une plaque indicatrice, on voit
avec évidence, que ces deux vers décrivent
la nuit, une certaine nuit étoilée. Chaque
image trouve aussitôt sa justification,

---

[1] A. Thibaudet, commentant les deux premières
strophes, y voit l'« aveu que cette foi dont le solitaire
s'éblouit, n'a comblé, d'abord, que le vide laissé par
un vieux, tenace, irréalisé désir, par un rêve dont
l'aile, de lassitude, enfin s'est repliée » (*La Poésie de
Stéphane Mallarmé*, p. 99).

en soi-même aussi bien que relativement
aux autres.

Luxe... l'habillage du ciel nocturne
ressemble à quelque décoration funéraire.
Luxe est le synonyme somptueux de
pompe, et il s'agit bien ici de la pompe
funèbre de la nuit.

O salle d'ébène... périphrase qui peint
le soir, vaste chapelle ardente ne pouvant
être dédiée, par son luxe et ses dimensions, qu'à un roi.

Guirlandes célèbres... ce sont les constellations, les grappes d'étoiles aux noms
réputés. La métaphore « guirlandes »
appelle *se tordent* qui remplace ainsi le
très usagé « scintillent » ; et *se tordent*
appelle *dans leur mort* car il est exact que
le rayonnement lumineux et calorique
est une dépense mortelle pour les astres
et le soleil.

Str. III, v. i. *Oui...* n'est jamais une cheville dans
Mallarmé, c'est-à-dire un simple ren-
forcement de l'affirmation qui suit *(je
sais)* ; il est, comme tout mot du poème
mallarméen, une articulation insistante
qui met en rapport ce qui a été dit et ce
qui se dira, une transition, dirait-on, si
ce mot ne sentait trop la rhétorique et
pas assez l'architecture. Ce « oui » avertit
que l'idée centrale de la troisième strophe
(grand éclat), placée d'ailleurs au centre

de la strophe et du vers, ne peut être que la même qui vient de s'énoncer *(ébloui)*.

Cette nuit... la présence, dans le corps du sonnet, d'une indication de temps si précise, justifie la suppression de l'ancien titre. Rien d'inutile, pas même rien de superflu, dit l'art sévère de Mallarmé.

v. 2.   *L'insolite mystère* d'un grand éclat... vue d'un point lointain de l'univers, la terre jette une lumière qui n'est autre que celle du génie. Lumière mystérieuse puisqu'elle ne tient pas à la nature de la terre et que sa cause n'est pas naturellement explicable ; elle est « insolite », c'est-à-dire inhabituelle parce que, dépendant de l'existence d'un génie, elle est rare.

v. 3.   *Sous les siècles hideux...* Une première leçon, *Pour les siècles hideux* (dans *Lutèce*, dans l'édition originale des *Poètes Maudits* en 1884, et encore dans le *Scapin*, en 1886), donnait à la mission du poète une finalité généreuse, thème banal : le poète écrit *pour* le bien de l'humanité. La correction, par le simple changement d'une préposition, obtient un double avantage : suppression du cliché romantique, puissant effet de lumière. Du même coup, Mallarmé qui vient de suggérer une immense vision spatiale, lui superpose une immense vision tem-

porelle. Le temps des hommes *(les siècles
hideux), la triste opacité*, dit-il dans *Toast
Funèbre*, obscurcissent la terre. Mais
l'éclat du génie traverse cette accumula-
tion des siècles qui, du coup, pèsent
moins sur la terre, *l'obscurcissent moins*.

Str. IV, v. 1. *L'espace...* On trouve le même mot avec
le même verbe *nie* à la rime dans *Le
vierge, le vivace et le bel aujourd'hui...*

Par l'espace infligée à l'oiseau qui le nie,

où le symbole s'impose : l'espace désigne
l'idéal qui occupe le poète au point de le
hanter. Ici, il désigne l'espace total de
ce qui existe et qui demeure identique,
aussi indifférent aux théories qui veulent
qu'il s'accroisse des découvertes de la
science, ou qu'il se nie suivant certaine
philosophie qui, mettant en doute l'existence du monde extérieur, en fait une
représentation de notre pensée : et voilà
une interprétation de cet hémistiche si
on le prend à la lettre ;

Qu'il s'accroisse ou se nie... il y en a
une autre, figurée, plus étroitement liée
aux idées favorites du poète, au Rêve
mallarméen : en novembre 1883, il travaille certainement au poème qu'il
publiera en janvier 1885, à cette profession de foi qu'est la *Prose pour des
Esseintes* où il décrit une île étrange et

réelle, patrie de l'art. Ce monde-là peut s'enrichir *(qu'il s'accroisse)* des œuvres nouvelles, ou peut se nier par les profanes, il est à soi pareil, le monde absolu.

v. 2.   *Roule dans cet ennui des feux vils pour témoins.* A. Thibaudet (*La Poésie de Stéphane Mallarmé*, p. 99) donne de ce vers la version suivante :

Eprouve, avec l'ennui des feux vils pour témoins,

puis, il explique ainsi le tercet : « Astre de la pensée qui veille, du songe silencieux vers qui tout converge et qui se croit tout ». Cependant, nous n'avons trouvé cette version nulle part ; ni nulle part la virgule après *témoins* au temps même où Mallarmé hésitait, comme en témoignent les variantes de 1883 et de 1886, sur la ponctuation des deux premières strophes. L'interprétation de Thibaudet tient à sa version et n'est valable que pour elle. Assurons la nôtre d'ailleurs proche de la sienne, puisque dans une telle analyse, ce sont les nuances qui importent et rapprochent du but. Selon le texte, définitif dès que Verlaine le communique, le rapport des mots parait celui-ci :

Dans cet ennui... parce que : *l'espace à soi pareil*, si l'on s'en tient au sens premier et cosmique de la strophe ; dans l'ennui des siècles hideux, si l'on adopte le sens allégorique qui implique l'existence d'un autre monde, d'une terre hyperbolique, *sol des cent iris.*

Feux vils... parce que ces constellations sont des mensonges, selon la forte expression de la deuxième strophe : *un orgueil menti...*

Pour témoins que... syntaxe hardie mais correcte dès qu'on donne au substantif valeur de verbe : pour témoigner que...

v. 3. *Astre...* génitif de *génie* ; le même mot désigne aussi le poète dans *Toast Funèbre,*

... que nous font les jardins de cet astre,

Ici, cette désignation est d'autant plus frappante que Mallarmé qui a appelé les étoiles, *guirlandes célèbres* et *feux vils,* s'est refusé à les nommer astres. Ce mot synonyme de lumière inaccessible, est réservé au poète.

En fête... parce qu'il est *ébloui* et comme enivré de sa foi. *Fête* est un mot de Mallarmé ; et même de sa jeunesse : il se trouve notamment dans la *Symphonie littéraire* (*L'Artiste*, 1er février 1865), associé là aussi à l'idée de l'ivresse intime qui le gagne, dès qu'il songe à sa qualité de poète... *et je l'appelle la fête du poète.*

La traduction du second tercet revient donc à ceci : l'espace ne roule la lumière des étoiles pendant des siècles que pour faire un décor à l'éclat du génie poétique ; l'existence même de l'univers n'a de sens que lorsque sur la terre brille le génie d'un poète.

Du second tercet dépend le sens du sonnet qui n'atteint sa plénière beauté et son émotion supérieure qu'une fois ce sens découvert : dans la succession des siècles dont cette nuit est une halte, dans l'immensité de l'espace dont cette nuit est un point, halte et point, orgueils du poète.

PROSE

pour des Esseintes

Hyperbole ! de ma mémoire
Triomphalement ne sais-tu
Te lever, aujourd'hui grimoire
Dans un livre de fer vêtu :

Car j'installe, par la science,
L'hymne des cœurs spirituels
En l'œuvre de ma patience,
Atlas, herbiers et rituels.

Nous promenions notre visage
(Nous fûmes deux, je le maintiens)
Sur maints charmes de paysage,
O sœur, y comparant les tiens.

L'ère d'autorité se trouble
Lorsque, sans nul motif, on dit
De ce midi que notre double
Inconscience approfondit

Que, sol des cent iris, son site
Ils savent s'il a bien été,
Ne porte pas de nom que cite
L'or de la trompette d'Eté.

Oui, dans une île que l'air charge
De vue et non de visions
Toute fleur s'étalait plus large
Sans que nous en devisions

Telles, immenses, que chacune
Ordinairement se para
D'un lucide contour, lacune
Qui des jardins la sépara.

Gloire du long désir, Idées
Tout en moi s'exaltait de voir
La famille des iridées
Surgir à ce nouveau devoir

Mais cette sœur sensée et tendre
Ne porta son regard plus loin
Que sourire et, comme à l'entendre
J'occupe mon antique soin.

Oh ! sache l'Esprit de litige,
A cette heure où nous nous taisons,
Que de lis multiples la tige
Grandissait trop pour nos raisons

Et non comme pleure la rive,
Quand son jeu monotone ment
A vouloir que l'ampleur arrive
Parmi mon jeune étonnement

D'ouïr tout le ciel et la carte
Sans fin attestés sur mes pas,
Par le flot même qui s'écarte,
Que ce pays n'exista pas.

L'enfant abdique son extase
Et docte déjà par chemins
Elle dit le mot : Anastase !
Né pour d'éternels parchemins,

Avant qu'un sépulcre ne rie
Sous aucun climat, son aïeul,
De porter ce nom : Pulchérie !
Caché par le trop grand glaïeul.

Mallarmé publia, pour la première fois, cet important poème, dans la *Revue Indépendante*, en janvier 1885 (tome II, numéro 3). C'était une version définitive, sauf qu'il y avait une virgule après *Idées*, une autre après *raisons* (Str. X, v. 4), qu'il n'y en avait pas après *rive* (Str. XI, v. 1) et que *Ciel* avait une majuscule. A vrai dire, cette majuscule était significative ; elle indiquait, comme nous le verrons, qu'il s'agissait d'un ciel hyperbolique, doué d'une existence nominale mais réelle, idéale mais concrète.

Puis, on retrouve le poème dans la belle édition photolithographiée de 1887, avec des modifications sans conséquence : la virgule après *Idées* a définitivement disparu, celle de *raisons* est maintenue comme est maintenue aussi la dignité du mot *ciel*. En revanche, une méprisante minuscule affecte le mot *esprit* (Str. XV, v. 1), tandis que dans la même strophe *lys* s'écrit décorativement par un *y*.

On aurait pu croire que la version de 1893, parue dans *Vers et Prose*, apportait une variante importante. On y lisait, en effet, au 4me vers de la 9me strophe :

Occupe mon *exotique* soin

Le gendre du poète, le docteur Bonniot, nous a appris que ce changement est une simple coquille du prote. Il rapporte dans ses *Mardis soir, rue de Rome* (publiés dans les *Marges*), à la date du 27 décembre 1892 :

« A propos des fautes d'impression de son ouvrage
Vers et Prose, il (Mallarmé) nous fit remarquer comme
très bizarre celle d'exotique de la *Prose pour des
Esseintes;* impression générale produite sur l'ouvrier
par la lecture du poëme où ce mot ne se trouve pas
une fois. »

Il est préjudiciable, pour expliquer ce poème, de
le séparer de ceux qui, au même titre, représentent
non seulement un moment important de la pensée
mallarméenne mais encore la symbolique définitive
et cohérente dont il a bariolé le mince écran qu'il a
tendu devant le néant. Par elle, il s'est expliqué et
le monde et sa propre présence ; par elle, il s'est
guéri de la panique et du désespoir ; par elle, il
s'inventa une orgueilleuse et stoïque raison de vivre.

Nous faisons allusion à *Toast Funèbre* surtout,
mais tandis que le poème dédié à la mémoire de
Théophile Gautier s'inspire encore de la relation
entre le sentiment du néant et son correctif, celui
de la puissance créatrice, *Prose*, comme si la hantise
mortelle du premier avait disparu, s'attache seulement
à décrire l'aventure miraculeuse de l'art. Il peut
donc être tenu pour une sorte d'art poétique, une
fabulation des théories littéraires de Mallarmé.

Rappelons donc l'enseignement de *Toast Funèbre*:
dans le jardin du monde, le poète qui s'y promène
voit des fleurs confuses, anonymes et inutiles ; mais
vues par lui, elles se parent aussitôt d'un nom, d'un
éclat et d'un rôle ; elles accèdent à une vie nouvelle,
précise et supérieure (d'où, dans le poème, l'identification des fleurs et des mots). La parole du poète

qui crée ce qu'elle dit, régit ainsi un univers verbal mais authentique, sa seule récompense valable.

Dans *Prose* cependant, Mallarmé rétrécit la place de l'artiste, non plus maître du monde, mais d'une île probable, éden des fleurs éveillées, lié à sa vaillance précaire et faillible.

Parallèlement à un rétrécissement du symbole, il y a, de l'un à l'autre poème, une autre évolution.

Toast Funèbre brille encore sur le versant clair du langage mallarméen. *Prose* se trouve décidément de l'autre côté, quand la méthode de l'hermétisme est devenue une technique exclusive.

Ainsi, plus que tout autre, il exige une traduction scrupuleuse qui en fixe le sens premier. Au préalable, il faut dégager, de ce poème si discuté, si moqué, si trahi, non seulement la fiction générale, mais aussi quelques points essentiels de son exégèse.

Remarquons, avant tout, que les deux premières strophes n'en font pour ainsi dire pas partie. Elles sont d'un autre ton, d'un autre plan et disent *je* alors que les autres diront *nous*. Elles sont une sorte de prologue, que la version originale séparait du reste par un petit trait. Elles annoncent que le récit qui suit, la narration, la prose, comme dit le titre, n'est que la mise en images, le kaléidoscope d'un labeur habituel.

Aucun des mots de ce prologue n'est gratuit, ni placé là pour l'amour de la rime ou de la chanson. Chacun d'eux est pensé, voulu, restreint, précis, déterminant, didactique. Si l'on perd pied dans le

poème, c'est qu'on le lit avec des idées préconçues,
ou le préjugé que la poésie c'est, avant tout, du
beau vague harmonieux.

Le mot *hyperbole*, qui commence le premier vers,
bien déchiffré, résout une grande partie des énigmes.
Il est le premier. Il est au vocatif. Il est jeté là comme
si le poème tout entier était placé sous son invoca-
tion. Que n'obéit-on à un commandement si expressément exprimé ? Il est plus qu'une apostrophe ;
une exhortation, une adjuration au poème virtuel
qui veut naître, il est l'équivalent d'un « Poème,
soyez ».

Il a d'ailleurs des antécédents. Dans *Toast Funèbre*,
nous apprenons que la rose et le lis deviennent la
Rose et le Lis par la grâce d'une action quasi divine.
Nous apprenons que les fleurs de la nature, devenant
les fleurs de l'artifice, allongent leurs tiges et colorent
leurs corolles. C'est cela, l'hyperbole, l'instant de
la métamorphose du naturel en surnaturel, de la
création volontaire d'un surréalisme (au vrai sens
du mot). Moment d'une doctrine, exemple d'un
système. Le mot hyperbole est donc une apposition
au titre qui lui-même ne s'applique au poème qu'à
partir de la troisième strophe ; *hyperbole* caractérise
donc le récit proprement dit.

Les poèmes et l'œuvre poétique tout entière
peuvent naître désormais, car la poésie est enfin
protégée, telle une chose sacrée ; j'ai trouvé, déclare
le poète, la technique propre de l'écriture (comme
la musique a la sienne) qui barrera la route aux
profanes, mais conduira subtilement les cœurs
fervents ; j'ai patiemment inventé un système de

défense, qui consiste en la cristallisation d'une
contrée *(atlas)*, d'un vocabulaire *(herbier)* et d'un
culte *(rituel)* nouveaux. Dans la *Musique et les
Lettres*, parlant du poète qui a créé sa propre langue
poétique, Mallarmé affirme : « Il possède, ce civilisé
édénique, au-dessus d'autres biens, l'élément de
félicités, une doctrine en même temps qu'une
contrée. »

Un des vers principaux du prologue, auquel on
a tort de ne pas être attentif, est celui-ci :

> Car j'installe, par la science,

Par la science ? Que ne lit-on Mallarmé ! Que
n'ajoute-t-on foi à ses mots ! Allusion évidente au
travail lent et contrôlé qui s'oppose aux injonctions
foudroyantes et hasardeuses de l'inspiration. *Science*
rime d'ailleurs avec *patience*.

Alors commence l'histoire de l'imaginaire séjour
dans le pays de la seule réalité :

> Nous promenions notre visage
> (Nous fûmes deux, je le maintiens)
> Sur maints charmes de paysage,
> O sœur, y comparant les tiens.

Un autre point crucial de l'exégèse est de déter-
miner quel est le personnage dont Mallarmé tient,
par une parenthèse péremptoire, à affirmer l'existence et la présence. Les interprétations diffèrent,
en effet, selon l'identité qu'on lui prête. Pour Albert
Thibaudet, c'est une lectrice, une amante ; pour
Camille Soula, la personnification de la conscience.
L'inconvénient de ces traductions, en plus de tous

les vers qu'elles n'expliquent pas et à quoi elles ne
s'appliquent pas [1], c'est qu'il faut supposer que,
sans crier gare, Mallarmé introduise un personnage
qu'il n'a pas annoncé jusqu'ici, et qui, de plus, n'a
aucun rapport organique (surtout dans l'hypothèse
de Thibaudet) avec la conception générale du poème :
deux fautes graves de composition qui seraient bien
étonnantes dans un morceau aussi élaboré. Partant
de la conviction que la plus rigoureuse organisation,
le mécanisme le plus étudié président à l'édification
du poème mallarméen, cherchons donc dans le texte
même un éclaircissement autorisé, la dénomination
de l'être à qui s'appliquera, par deux fois dans le
poème, l'appellation de sœur. Point n'est besoin
d'inventer à la place de Mallarmé, d'appeler quelqu'un du dehors. Pourquoi négliger qu'il affirme
expressément que cette compagne de voyage, il l'a
déjà nommée : *je le maintiens ?* Suivons cette indication et revenons en arrière à la recherche d'un nom
féminin. Or, la strophe précédente dit, et avec quelle
clarté, que si le poète parvient à *installer* le monde
supérieur de l'art, c'est sous l'égide déclarée de la
patience :

> En l'œuvre de ma patience,

C'est la patience qui l'assiste et l'accompagne,
c'est cette partie de lui-même, fraternelle à son

---

[1] Dans l'interprétation de Soula, comment expliquer
que la conscience, à l'ordinaire cruelle et téméraire,
mérite les épithètes de *sensée* et *tendre*. Quant à
Thibaudet, il se voit obligé, pour soutenir son point
de vue, de donner une explication enfantine et presque
ridicule à *Anastase* et *Pulchérie*.

esprit, cette disposition entêtée selon laquelle il penche à donner importance à ce qui seconde, favorise ou compense l'inspiration, sagesse de Chinois qui sait que la minutie et le temps combinés sont force aussi mystérieuse que le génie.

Et la narration se poursuit, décrivant la promenade à deux, dans l'île étrange, patrie de l'art, où croissent les iris anoblis [1].

Comme dans *Toast Funèbre*, où « les vrais bosquets» impliquent la réalité indéniable de l'art, Mallarmé ne permet pas qu'on croie à quelque complaisance de son imagination. Il précise que *l'air charge* cet éden singulier

> De vue et non de visions.

Il est impossible de ne pas rapprocher cette très intentionnelle antithèse d'une autre, non moins riche de sens : après avoir montré que le Voyant, par un étrange dressage volontaire de l'attention, aperçoit les rapports nouveaux mais réels de ses sensations, Rimbaud conçoit que celui-ci ne pourrait soutenir jusqu'au bout cet effort extrême de conscience et ajoute : « Et quand, affolé, il finirait par perdre l'intelligence de ses visions, il les a *vues*... »

A exercer son prodige, l'enivrement gagne le poète au point qu'il oublie qu'ils « furent deux » pour cette besogne, et, cessant de se dédoubler avoue que sa volonté et sa patience ne forment qu'un tout (*Tout en moi...*).

---

[1] Dans *Toast Funèbre*, il s'agissait de rose et de lys.

Gloire du long désir, Idées
Tout en moi s'exaltait de voir
La famille des iridées
Surgir à ce nouveau devoir

Hélas ! l'inaccessible de ses espoirs, et le sentiment de ses limites mettent fin à la merveilleuse excursion. La patience reprend son individualité ; raisonnable, soucieuse de ménager les forces (sensée et tendre), elle conseille la modération. Le poète l'écoute ; mais, de crainte qu'on interprète mal son obéissance, il interrompt son récit pour proclamer solennellement l'existence réelle du « sol des cent iris », prévenant ainsi l'objection qu'il sent formulée par l'obtus et matérialiste *Esprit de litige*. S'il se résout à suivre les conseils de sa patience, c'est que le monde des fleurs agrandies est trop beau et trop haut pour la raison humaine, *mais... non...*

Que ce pays n'exista pas.

Entre le *non*, qui appartient au premier vers de la strophe XI et le dernier vers de la strophe XII, s'intercale une sorte de parenthèse où l'ingéniosité des scoliastes peut se donner libre jeu. C'est comme tel, comme un des passages les plus hermétiques, que je voudrais l'expliciter, en montrant que c'est pourtant la méthode du jeu serré qui conduit à une lecture évidente.

Le sens de l'allégorie est, en effet, difficile à suivre si l'on ne prend garde à plusieurs pièges ménagés au lecteur rapide et peu respectueux des indications discrètes mais formelles de l'auteur.

L'explication de Soula est tentante :

... les vulgaires, restés en pleurs sur la rive (la rive que quitta le poète pour se rendre dans l'île symbolique), dans leur moquerie perpétuelle et mensongère, voulant que l'énormité même de ma vision surprenne et désempare ma joie ingénue, *A vouloir que l'ampleur arrive*, contestent la réalité de ma vision, parce que les flots se sont écartés devant le seul poète pour que, à lui seul, soit accessible l'île hyperbolique [1].

Cette explication est logique mais elle commet, à mon sens, une faute contre le symbole. Elle suppose, en effet, à l'*ampleur* un rôle néfaste, destructeur de l'exaltation du poète, cause de son échec. Il serait bien étonnant que Mallarmé ait si mal ajusté son vocabulaire ; que, de tous les mots qui servent son idée d'hyperbole, il ait non seulement abandonné celui-ci, un des plus beaux, mais encore qu'il l'ait laissé à l'autre clan des mots qui la critiquent et la desservent. De toute évidence, Mallarmé n'a pas commis cette erreur. *Ampleur* appartient comme *lever, cent, plus large, immense, surgir, grandissant trop, trop grand*, au symbole lui-même ; c'est un mot de sa conquête, c'est un mot de louange.

Il faut chercher autre part le secret des deux quatrains, et sans doute, et comme d'habitude, dans quelque finesse ou particularité syntaxique. Or, ce qui agrippe au passage l'attention même distraite, c'est, je pense, l'expression « ment à vouloir », dont la traduction ordinaire serait « ment en voulant », si *ment* avait ici son sens vil et moral ; mais ne voyant

---

[1] C. SOULA, *Essai sur l'hermétisme mallarméen*, p. 38.

en lui que l'idée de négation, qui se reporte sur vouloir, *ment à vouloir* revient à dire : se refuse à vouloir,
faut [1] (fait défaut) à vouloir, et plus simplement
encore : ne veut pas que. Le sens de l'allégorie devient
alors : la rive pleure ; les riverains, qui ne vont pas
vers l'île secrète, gémissent d'envie quand ils ne
veulent pas que mon étonnement (dans le sens
d'émerveillement) aille jusqu'à l'ampleur, jusqu'au
contentement suprême, jusqu'à l'exaltation.

Viennent les strophes finales, qui ont tant prêté
à rire, surtout depuis l'interprétation de Thibaudet,
alors qu'il suffisait d'entendre *Anastase* et *Pulchérie*
dans leur consonnance grecque [2], et de les replacer

---

[1] Ce sens n'est pas contraire à la sémantique du
verbe. Dans l'ancienne langue, on trouve de nombreux
exemples où *mentir* signifie *manquer, faillir.* Cf.

> Li cuers me faut, li cuers me ment.
> (*Roman de la Rose*, Guillaume de Loris. Ed. Lan-
> glois, vers 1701.)

ou :

> Ainz mentent saivemenz e feiz
> (= ils manquent à leurs serments et à leurs pro-
> messes.)
> (*Roman de la Rose*, Jean de Meung. Ed. Langlois,
> vers 1314.)

[2] Henry Charpentier avait déjà vu le sens vrai
d'Anastase et Pulchérie en 1926 quand il écrivait :
« Si l'on veut bien tenir compte de l'étymologie, on
comprend que ce mot, outre la touche dorée et byzan-
tine qu'il pose sans doute, du bout de la plume,
annonce d'abord la Résurrection de la poésie, la vie
nouvelle que l'art subtil du suprême poète a créée pour
d'éternels parchemins.
Mais non ! La beauté, Pulchérie, est toujours
éphémère. Née du Néant et du Vide elle y retourne
sous aucun climat, son aïeul... » (*Nouvelle Revue
Française*, 1er novembre 1926 : *De Stéphane Mallarmé*).

dans la perspective du symbole pour justifier leur
présence sérieuse. Si dès l'injonction initiale : « hyperbole, ne sais-tu te lever », on eût laissé hanter son
esprit par les idées conjointes de hauteur et de
beauté qu'elle veut nous imposer, c'est vus dans
leur lumière que ces deux noms propres fussent
apparus.

Nous pouvons maintenant aborder la traduction
linéaire du texte.

En admettant que le poème traite d'une manière
indirecte et métaphorique le thème, auparavant
avoué et explicite, de l'impuissance, le titre indique
une fois de plus que tout poème exécuté, ce poème-ci,
n'est que prose en regard de l'œuvre absolue.

En considérant la dédicace « pour des Esseintes »
(non : à des Esseintes) et en se rappelant que Mallarmé a dit lui-même dans sa bibliographie de 1898
« il l'eût, peut-être, insérée, ainsi qu'on lit en l'*A
rebours* de notre Huysmans », le titre insiste sur le
côté sophistiqué et même paradoxal de son poème,
sourire d'ironie préalable, sourire un peu triste.
Dans ce sens, la remarque de C. Soula (*op. cit.*,
p. 29) semble tout à fait justifiée : selon l'étymologie
du mot « prose », Mallarmé entend bien que, pour
des Esseintes, ou pour R. de Montesquiou, son
poème est un langage direct.

En lisant le poème, le titre devient synonyme de
narration ; il faut en effet séparer du reste les deux
premières strophes comme l'indique le petit trait
de la version originale, cependant que le récit commence à la troisième strophe sur le ton d'une histoire

qu'on raconte : « Nous promenions notre visage... »
Enfin, il n'est pas impossible que *prose* ait ici son
sens liturgique.

Str. I, v. 1. *Hyperbole*... Si l'on se rappelle l'étymologie (ὑπέρ, au delà et βαλλω, jeter), il
faut songer aussi à son sens technique,
rhétorique : « images supérieures à la
réalité » comme dit Soula, à la condition
toutefois de ne pas impliquer l'existence
absolue de ces images. Pour Mallarmé,
il s'agit bien de les créer, en effet, selon
un procédé intellectuel qu'il nomme ;
l'hyperbole, moyen et but, travail et
récompense de l'esprit.

v. 2. *Triomphalement*... Thibaudet (*La Poésie
de Stéphane Mallarmé*, p. 406) fait
remarquer la hardiesse et l'efficacité de
l'adverbe.

v. 3. *te lever*... Premier de la série des mots
qui, sortis de « hyperbole », impliquent
une augmentation de grandeur : *(cent
iris, plus large, immense, surgir, grandissait trop, trop grand)*.

te lever, aujourd'hui grimoire... Thibaudet (*op. cit.*, p. 406) donne une explication de ce vers qui n'est valable que
s'il n'y a pas de virgule après « lever »
(il transcrit d'ailleurs le vers en l'omet-
tant). Quel texte a-t-il utilisé ? *La Revue
Indépendante* de janvier 1885 où le

poème parut pour la première fois,
l'édition Deman, très soignée et celle de
la *N.R.F.* présentent toutes la virgule.
Quant à l'édition en fac-similé faite sur
le manuscrit de l'auteur, en 1887, et
contrôlée par Mallarmé lui-même, elle
porte non seulement la virgule mais un
blanc manifeste devant « aujourd'hui ».
En tenant compte de la virgule, il faut
donc refuser de faire porter «aujourd'hui»
sur « te lever » et lire la strophe avec le
sens suivant : Hyperbole, ne sais-tu te
lever triomphalement, toi, qui jusqu'à
aujourd'hui n'étais que grimoire dans
un livre vêtu de fer. A « triomphalement », s'oppose ce qui est obscur (grimoire » et ce qui est pesant (un livre
vêtu de fer).

grimoire... ne doit pas être détourné de
son sens courant : langage confus.

v. 4. *Dans un livre de fer vêtu...* est sans con-
teste une description dénigrante, et non
élogieuse, comme le veulent Thibaudet
et Soula. Dans l'*Art pour tous*, son
jeune art poétique, quand Mallarmé
parle d'une couverture protectrice du
mystère poétique, il la rêve en or et non
en fer : ô fermoirs d'or...

Str. II, v. 1. *Car...* on n'a pas assez remarqué ce
rapport de causalité si fortement exprimé.
Il indique, à suffisance, que cette sorte

de métaphysique poétique, cette super-nature, qui est l'art, est une création volontaire de l'esprit et qu'un poème peut naître, dès lors qu'on a établi patiemment, savamment, les conditions de son existence.

par la science... c'est l'affirmation de la prépondérance de la technique sur l'inspiration.

v. 2.   *l'hymne des cœurs spirituels...* le langage des initiés, des frères en poésie.

v. 3.   *En l'œuvre de ma patience...* On a bien envie, en face des déformateurs plus encore qu'en face des détracteurs, de faire un sort à ce vers émouvant qui réunit malgré son mètre bref, deux mots où Mallarmé est contenu tout entier, « œuvre » et « patience ». Le premier cependant, est mis là pour l'amour de l'y mettre, et avec cette intention à la fois appuyée et mystificatrice qui est celle de Mallarmé : car l'expression tout entière est simplement prépositive et correspond à : par la grâce de ...

patience... mot-clef ; il rime non sans raison avec « science » dont il est le corollaire logique, parce que les deux mots entrent dans le système moral et esthétique du poète, sans pour cela relever du jargon philosophique ; malgré ces indications formelles, les commen-

tateurs veulent voir dans la strophe je
ne sais quelles intentions métaphysiques.

Atlas, herbiers et rituels... retour au
langage poétique dont les images sont
appelées par *science* ; annonce la synthèse
du récit qui suit. Albert Thibaudet (*op.
cit.*, p. 407) rappelle, au sujet de ce vers,
l'influence de J.-K. Huysmans dont *A
rebours* vient de paraître ; mais il est
juste d'ajouter que *A rebours* ne fait
qu'exagérer l'esthétique décadente des
premiers poèmes de Mallarmé.

Str. III, v. 1. *Nous promenions*... Ici commence le
récit de cette tentative de créer le monde
artificiel de l'Art, plus ambitieuse que
celle de des Esseintes qui n'a réussi qu'à
créer un décor.

notre visage... le langage a rendu
ordinaire l'usage de la synecdoque :
Mallarmé renverse le procédé et emploie
le mot qui désigne le tout (visage)
pour celui qui désigne la partie (regards).

v. 2. *(Nous fûmes deux, je le maintiens)*... Nous
avons déjà montré l'importance de cette
parenthèse et comment l'analyse du
texte lui-même conduit à penser que la
personne qui accompagne le poète est
sa propre patience, qu'il a déjà nommée
(je le maintiens) et grâce à qui il
compose son hymne.

v. 3. *Sur maints charmes de paysage...* de paysage réel, naturel.

v. 4. *les tiens...* le paysage décrit ou plutôt le décrit du paysage. Le sens de la strophe est clair : en compagnie de sa patience, il a tenté une œuvre qui lui permet de comparer la beauté du réel et la beauté de l'Art.

Str. IV. Dans cette strophe et la suivante, il faut serrer le texte de près, suivre Mallarmé pas à pas et ne pas s'égarer en écoutant sa propre subtilité. Après avoir débarrassé la phrase de ses incidentes, il reste : « L'ère d'autorité se trouble lorsqu'on dit, de ce midi, que son site... ne porte pas de nom que cite l'or de la trompette d'Eté ». Le sens dépend de celui qu'on attribue à «ère d'autorité» et à «se trouble». Le contexte, mais surtout la parenthèse (ils savent s'il a bien été) et la définition même de « se trouble » incitent à traduire ainsi : l'opinion publique (ou ceux qui la dirigent) perd sa lucidité, se trompe si quelqu'un parmi elle dit que le paysage lumineux (créé par le poète) n'a pas de nom célébré par la renommée.

v. 3. *... que notre double.*

v. 4. *Inconscience approfondit...* inconscience a peut-être bien ici le sens de hardiesse comme dans l'expression : inconscient du danger.

ce midi... ce monde plus grand que nature, il a cherché, soutenu par sa patience, à le mieux connaître, c'est-à-dire à le faire exister de plus en plus (approfondit).

Str. V, v. 1. *Que, sol des cent iris, son site*

v. 2.   *Ils savent s'il a bien été...* : « sol des cent iris » est une apposition de « site ».

son site, le possessif se rapporte à « midi ».

ils a comme antécédent « iris ».

il a comme antécédent « site » ou « sol », puisque c'est une même chose. Et le sens adversatif du vers apparaît : les cent iris savent bien, eux, contrairement à ce qu'on dit, que ce site a été, a existé.

Str. VI, v. 2. *De vue et non de visions...* Ces fleurs plus grandes que nature, il les a déjà décrites dans *Toast Funèbre*

Resté là sur ces fleurs dont nulle ne se fane,

déjà, aussi, il avait insisté sur leur réalité : « vrais bosquets ».

Ici, il fait plus, il prévient l'objection :

De vue et non de visions

en prenant soin que même l'emploi du singulier (vue) et du pluriel (visions) devienne un argument. La note de Soula à propos de ce vers semble judicieuse :

« Cette indication montre bien le caractère surnaturel et non imaginaire que le
poète attribue à son invention. Il aperçoit la beauté cachée et inaccessible du
monde et l'authentifie par le poème. La
réalité poétique prend source dans la
sensation et non dans la chimère » (*op.
cit.*, p. 34, note).

v. 3.   *Toute fleur s'étalait plus large*... parce
qu'elle a une vie magnifiée du fait de
son existence poétique (par opposition
à son existence naturelle).

v. 4.   *Sans que nous en devisions*... Pourquoi
d'ailleurs discuter l'existence de l'île
fleurie ? N'accepte-t-on pas l'évidence
de ce qu'on *voit* (ce vers confirme ou
plutôt explique « que notre double
inconscience approfondit »).

Str. VII, v. 1. *Telles*... on voit les nombreuses syllepses de ce passage ; Mallarmé passe
du singulier au pluriel sans qu'il y ait
équivoque (toute fleur, telles, chacune).

v. 2.   *Ordinairement*... dans l'ordre, l'une après
l'autre et selon la loi de l'île. Sans donner
à l'adverbe ce sens latin, on ne pourrait
expliquer « para » qui suppose l'accidentel, le momentané, et l'on attendrait
« paraît ».

v. 3.   *lacune*... apposition de « contour ».

v. 4.   *Qui des jardins la sépara...* un contour lumineux isole la fleur qui a été élevée à une nouvelle dignité parmi la floraison anonyme (des jardins).

Str. VIII, v. 1. *Gloires du long désir, Idées...* Nulle part, l'identité des fleurs et des mots n'est exprimée plus matériellement, plus poétiquement que par ces rimes équivoques : *idées* et *iridées*.

Rien n'est plus loin de l'amplification et de la paraphrase que la manière de Mallarmé, au lieu d'élargir son vocabulaire, il s'ingénie à le restreindre.

Cette belle strophe, sommet du poème, est aussi la synthèse de son système, et le rappel du vocabulaire qui l'exprime :

long désir... rappelle la patience.

voir... rappelle « de vue et non de visions... »

iridées... rappelle les fleurs trop grandes.

Enfin, on ne peut oublier que Valéry, dans son poème *Aurore*, place mêmement le mot *idée* à la rime, grandi de la majuscule, mêmement en apostrophe lyrique et en apposition :

Maîtresses de l'âme, Idées,

v. 4.   *devoir...* le devoir de parer et de séparer les fleurs ; les rimes de la strophe pré-

cédente unissent d'un triple lien ce devoir
explicitement décrit plus haut (str. VI).

Str. IX, v. 1. *sensée et tendre...* les deux épithètes
se justifient dans le seul cas où cette
sœur, qui se lasse, représente sa patience.

v. 3.   *comme...* préposition.

v. 4.   *antique...* le poète est habitué *depuis
longtemps* à suivre les conseils de sa
patience.

Str. X.   Mallarmé n'oublie pas qu'il fait une
narration, une prose, dont la ligne continue doit pouvoir se suivre ; après le cri
de triomphe (str. VIII), le retour à
l'ordinaire réalité (str. IX) et le motif
de ce retour (str. X).

Str. XI   La proposition principale de ces deux
et XII.   strophes (qui complètent la précédente)
est celle-ci : « que l'Esprit de litige » sache
bien que si nous nous sommes arrêtés
dans notre voyage de création, c'est que
l'entreprise dépassait la force de notre
raison ; mais non que nous ayons douté
de sa réalité :

Et non...
. . . .
Que ce pays n'exista pas.

v. 2.   *A cette heure où nous nous taisons...* à
cette heure où nous nous arrêtons dans
cette noble tâche de recréer les fleurs de
l'île hyperbolique ; le verbe « taire » est

essentiel puisqu'il faut que les fleurs soient nommées pour être.

v. 4. *nos raisons...* ce pluriel n'est pas général ni vague mais précis et personnalisé ; il s'agit de sa raison et de celle de sa sœur, la patience.

Toute l'allégorie « comme pleure la rive... s'écarte », qui s'intercale dans la proposition principale, reprend la controverse de l'existence réelle du « pays », de ce « midi ».

Str. XII, v. 1. *tout le ciel et la carte...* (de ce pays).

v. 2. *attestés...* pris dans le sens absolu.
pas... a peut-être, comme chez Valéry, le sens de *œuvres*.

v. 3. *Par le flot même qui s'écarte...* la ponctuation empêche de rattacher ce vers à « attestés » comme le fait Soula, qui se voit obligé d'imaginer que les flots se sont écartés devant le poète, nouveau Moïse. Il est vrai que, lui aussi, va vers une terre promise. Mais la virgule après « rive » et la virgule après « pas » enclavent nettement ce qu'elles veulent unir par le sens, et s'il avait fallu de plus y faire entrer ce troisième vers, Mallarmé aurait supprimé la virgule après « pas ». Or, elle y est, force est donc de considérer que « par le flot » appartient à ce qui est antérieur à la première virgule : « comme pleure la rive... » ... « par le flot qui s'écarte » ; du coup, voilà justifié dans l'allégorie, le verbe « pleure ».

v. 4.   *jeune*... l'épithète est très importante et continue d'insister sur la réalité de l'île nouvelle.

Il ne s'agit pas d'un étonnement vieux comme le monde, même s'il est renouvelé ou recommencé en chacun de nous, mais d'un étonnement véritablement jeune, premier, parce que le spectacle est entièrement neuf.

Str. XIII, v. 1. *L'enfant*... la patience.

v. 2.   *Et docte déjà*... *docte* est l'épithète logique puisque Mallarmé a affirmé que les chemins se devraient découvrir *par la science*.

v. 3.   *Anastase*... ce nom aussi a été annoncé dès le début. Tandis que là, il s'agit d'une exhortation (Hyperbole !... ne sais-tu te *lever*) ici, le même souhait s'exprime d'une manière plus pressante sous la forme d'un ordre, d'un impératif ἀναστασε, lève-toi ! L'on peut, l'on doit prendre le mot dans son sens étymologique : *lève-toi*, *sois*, *produis !* Il trouve sa place logique dans l'allégorie générale du poème ; spectateur conscient du monde hyperbolique mais réel de l'Art, le poète crée des poèmes promis à l'immortalité *(nés pour d'éternels parchemins)*.

Str. XIV,   *Sous aucun climat...* sous certain cli-
  v. 2.   mat...

aïeul... le *climat* est l'*aïeul* du *sépulcre* :
idée familière à Mallarmé. Par trois fois,
il a indiqué expressément ce rapport
entre le lieu et le tombeau : dans le *Tombeau d'Edgar Poe*

Calme bloc ici-bas chu d'un désastre obscur

dans *Toast Funèbre*

... de l'allée ornement tributaire,
Le sépulcre...

Ce climat est celui de l'île puisque sur
le tombeau fleurit «le trop grand glaïeul»,
flore propre à l'île magique. Le sens des
deux dernières strophes, vulgairement
exprimé, devient celui-ci : Ecris, produis
(Anastase) de peur que la beauté *(Pulchérie)* ne demeure là-bas, dans le pays
fabuleux où elle resterait à découvrir
(caché par le trop grand glaïeul).

  v. 4.   *trop grand glaïeul...* Que de rappels dans
ces deux derniers quatrains des mots et
des idées des deux premiers !

Le trop grand glaïeul rappelle la métaphore centrale des fleurs-mots, des iris
(car le glaïeul est aussi une iridée), mais
surtout répète la première idée du poème,
hyperbole... le cycle est fermé.

Prose pour des Esseintes est le dernier poème de longue haleine. Il est la borne en deçà de laquelle le système d'écriture de Mallarmé reste lisible. Après lui, les poèmes tournent au rébus dans lesquels n'apparaît plus, au déchiffrage, que le motif accidentel de leur éclosion.

Après lui, il n'y aura plus que des sonnets, et plus tard encore, des petits poèmes de circonstance.

Mais *Prose* appartient à la grande période quand Mallarmé n'avait peut-être pas encore tout à fait renoncé à l'*Œuvre* unique dont *Toast Funèbre*, *Quand l'ombre menaça...*, le *Tombeau d'Edgar Poe*, *Prose*, et *Le vierge, le vivace et le bel aujourd'hui...* marquent, pensons-nous, la préoccupation.

Thibaudet pense que, dans *Prose*, « l'idée platonicienne, forme dernière de ce réalisme verbal, de ce mysticisme de mots, apparaît à l'arrière-plan ». On pourrait aller plus loin et déduire, des théories littéraires de Mallarmé, un nominalisme éperdu, et si intransigeant qu'il s'égalise à son contraire, à un antinominalisme où seraient renversées les notions de réalité et de convention.

Le vierge, le vivace et le bel aujourd'hui
Va-t-il nous déchirer avec un coup d'aile ivre
Ce lac dur oublié que hante sous le givre
Le transparent glacier des vols qui n'ont pas fui !

Un cygne d'autrefois se souvient que c'est lui
Magnifique mais qui sans espoir se délivre
Pour n'avoir pas chanté la région où vivre
Quand du stérile hiver a resplendi l'ennui.

Tout son col secouera cette blanche agonie
Par l'espace infligée à l'oiseau qui le nie,
Mais non l'horreur du sol où le plumage est pris.

Fantôme qu'à ce lieu son pur éclat assigne,
Il s'immobilise au songe froid de mépris
Que vêt parmi l'exil inutile le Cygne.

Ce beau sonnet de Mallarmé, un des plus célèbres, un des plus connus, un des plus méconnus, fut publié, pour la première fois, en mars 1885, dans la *Revue Indépendante* en même temps que *Quelle soie aux baumes de temps*. *Prose pour des Esseintes* avait déjà paru, en janvier de la même année, dans la même revue. Or, je serais tenté de le croire antérieur à *Prose*, qui est illisible au premier regard, et de le placer dans l'entourage des poèmes les plus significatifs comme *Toast Funèbre, Le Tombeau d'Edgar Poe, Quand l'ombre menaça de la fatale loi* qui représentent un moment béni dans l'évolution cryptographique de Mallarmé où il n'est pas encore prisonnier de ses propres procédés.

Mi-lisible, mi-obscur, il a cette clarté par laquelle il attire et cette ombre par laquelle il envoûte.

Retrouvera-t-on un jour une version du poème qui prouverait, par sa date, cet heureux synchronisme ? Jusqu'à présent, on ne connaît de ce poème, dit Mondor, bien placé pour le savoir, « aucun manuscrit autographe, ni référence d'aucune sorte qui permette de lui assigner une date plus précise que celle de sa publication ».

La version de 1885 ne présentait, avec la version définitive, aucune différence sauf qu'il y avait une virgule après *aujourd'hui*, une autre après *lui*. Dans la précieuse édition photolithographiée de la *Revue Indépendante* : *Les Poésies de Stéphane Mallarmé* (1887), les deux virgules avaient disparu en même temps que le point final du premier tercet ; mais ce point, le poète le rétablit pour l'édition de 1898 qu'il prépara, comme on le sait, soigneusement.

Ces modifications de ponctuation n'apprenant rien sur le sens des vers, on ne possède donc aucun guide qui en autorise une lecture sûre ou qui en vienne percer l'hermétisme modéré. Le lecteur en est réduit à ses seules forces et c'est tant mieux.

Cependant, son symbolisme apparemment facile excita les courages et suscita de nombreuses explications toutes parentes, tandis que je le tiens pour un des plus difficiles dont la signification exacte se dérobe sans cesse. Aucun poème ne fut plus commenté ni plus paraphrasé ; aucun ne fut plus mal interprété. Personne qui n'ait vu en lui le contraire de ce qu'il dit, et qui n'ait tiré de lui la citation qui illustrât la thèse qu'il ne défend pas.

Traduit à contresens, il devenait facile de lui trouver des antécédents. Influencé, disait-on, soit par le *Cygne* de Baudelaire ou l'*Albatros*, soit par les *Torts du cygne* de Banville, soit encore par ces deux vers d'*Emaux et Camées* [1] :

> Un cygne s'est pris en nageant
> Dans le bassin des Tuileries,

on s'est obstiné à voir en lui le développement du vieux thème romantique, le poète prisonnier des contingences de la vie quotidienne, exilé de sa pureté natale. C'est le Moïse de Vigny qu'isole son génie et tout près de le maudire. L'interpréter ainsi,

---

[1] C'est F. Gregh qui a signalé ce rapprochement.

c'est faire du sonnet une suite du poème, d'influence baudelairienne, *Les Fenêtres*, tandis qu'il se rattache, au contraire, pensons-nous, au symbole de l'*Azur* dont il est une sorte de réplique.

C'est Albert Mockel, un an après la mort de Mallarmé, qui, dans sa pieuse et élégante brochure, rédigea, un des premiers, l'argument du poème tel qu'on ne songera plus à le mettre en doute : « J'y vois la conception platonicienne de l'âme déchue de l'idéal, et qui y aspire comme à sa patrie natale ; — et celle que le génie est un isolement de par son aristocratie. Il nous suggère aussi la misère du poète, ici exilé, — jadis il eût été prophète, — et qui survit à son moment. Et la conclusion stoïcienne : vaincre par le mépris le malheur, en gardant la tête haute » [1].

Cette interprétation fut adoptée. Je ne vois personne qui l'ait refusée ou réfutée. L'intelligent Thibaudet ne se prononce pas sur la signification du symbole. Dans le sonnet, il a vu surtout sa perfection technique et musicale ; à deux reprises, il s'en est servi pour caractériser l'art de Mallarmé ; remarquons toutefois que lui aussi associe le *Cygne* aux *Fenêtres* : « Le sentiment de l'*Après-midi*, tout douceur et tout ailes, se relie, par son fond, à celui des *Fenêtres* et du *Cygne* » [2].

Même Cl.-L. Estève, dont les études vont pourtant loin dans l'esprit des textes, a adopté le thème « de

---

[1] Albert MOCKEL, *Stéphane Mallarmé. Un Héros*, p. 53.

[2] Albert THIBAUDET, *La Poésie de Stéphane Mallarmé*, p. 400.

la déchéance et de l'exil », et commet aussi, quant
au bourreau, l'erreur sur la personne [1].

On l'a déjà longuement commenté, dit M. Charles
Mauron [2], en parlant du sonnet, le reliant aisément
à certaines pensées traditionnelles de notre poésie
lyrique : stoïcisme — tour d'ivoire — hostilité du
monde pour le poète et mépris du poète pour le
monde. Et le critique d'ajouter avec assurance :
« Voici, pour aplanir diverses difficultés, une *traduction en prose* du sonnet. » Le mot *traduction* est
téméraire ; *en prose* est juste.

Dans sa *Vie de Mallarmé*, M. Henri Mondor déclare
les explications banales périmées (t. II, p. 454) sans
toutefois en proposer une autre ; et, comme dans ses
notes des *Œuvres complètes* de Mallarmé, il enregistre
la protestation que je fis en 1940 [3], il paraît implicitement avoir accepté la mienne.

Pour moi, en effet, le poème a une originalité plus
authentique ; sa source n'est pas livresque ni littéraire ; né d'une expérience décevante, d'une douleur
tout intellectuelle certes, mais aiguë et permanente,
il s'insère dans le cycle et l'unité d'une pensée très
fidèle à elle-même qui s'est au surplus assuré un
langage personnel et défini.

Relisons avant tout ce poème de l'*Azur*, fonda-
mental dans la symbolique mallarméenne : l'explication est là. Or, l'on ne peut se méprendre sur sa

---

[1] Cl.-L. ESTÈVE, *Études philosophiques sur l'Expression littéraire*, p. 143 et seq.

[2] Charles MAURON, *Mallarmé l'obscur*, p. 157.

[3] E. NOULET, *L'Œuvre poétique de Stéphane Mallarmé*, p. 263.

signification, non seulement parce que son symbolisme est transparent (il appartient d'ailleurs au groupe des poèmes de 1866) mais aussi parce qu'on possède, à son sujet, une lettre explicative, contemporaine de sa conception et de son exécution. De Tournon, en janvier 1864, Mallarmé écrit à son ami Cazalis une longue lettre dans laquelle il lui confie qu'il veut écrire un poème dramatique comme l'a fait Edgar Poe dans *Le Corbeau* ; il y définit son thème d'une manière tout à fait précise : « Las du mal qui me ronge (l'impuissance), je veux goûter au bonheur commun de la foule, et attendre la mort obscure »... *L'Azur*, d'après cette lettre, serait le poème du découragement d'une part, de la vengeance d'autre part. Découragement du poète devant sa stérilité, suivi d'une « fuite devant le ciel possesseur » ; vengeance de l'azur omnipotent, exigeant, impérieux. Le poète inactif, terrassé, cherche à se cacher de son propre génie, à ne plus rien voir d'un horizon supérieur [1] ; mais, malgré ses tentatives pour se perdre heureux et tranquille dans la vie courante, son idéal le trouble et le poursuit, ce que déclare explicitement cette phrase de la lettre : « L'Azur torture l'impuissant ». L'Azur tenace éclate partout, à travers les brumes et dans le bruit des cloches. Il était illumination et source d'exaltation ; il est devenu bourreau et source de tourment. Le mot *azur* se trouve ainsi chargé d'un sens précis qui deviendra constant.

---

[1] Dans *Hérodiade* aussi, pour des raisons parentes, la jeune orgueilleuse ordonne de clore les volets : « Et je déteste, moi, le bel azur ! »

L'obsession de l'azur, du spirituel, du service de la poésie et l'obsession de sa fatigue et du besoin de le fuir, s'expriment souvent dans l'œuvre de Mallarmé, soit en passant, comme dans *Tristesse* d'*Eté* :

> ... l'âme qui nous obsède

soit avec plus d'insistance et sans équivoque dans *Las de l'amer repos...*

> Je veux délaisser l'Art vorace d'un pays
> Cruel...

soit dans le symbole transparent du *Pitre châtié*.

Cette double obsession constitue l'allégorie fondamentale du poème dont nous nous occupons ici.

Non, le poète n'est pas prisonnier de la vie, à laquelle parfois il aspire, au contraire ; il est, comme dans l'*Azur*, le prisonnier et le martyr de l'idéal, du ciel, de la beauté, de l'art, de l'espace, beaux synonymes, dont la souple signification englobe des symboles qui sont voisins. C'est l'azur qui le tient, qui le hante et qui pousse cette fois plus loin sa cruauté; il le punit d'une agonie où le poète n'a de revanche que dans le silence et le mépris. Non, le mépris ne s'adresse pas aux autres (Mallarmé n'était pas un méprisant) ; mais, comme dans l'*Azur*, à soi-même et à son inaction.

Ainsi entendu, le sonnet, au lieu de répéter un poncif larmoyant, trouve son éclat qui est neuf, et son orgueil qui est pur. Le vieux mythe de Prométhée est rajeuni : le géant enchaîné ne souffre plus de son vautour, mais de s'appeler Prométhée.

* * *

Cependant, interrogeons le poème de tout près afin qu'il apporte lui-même les preuves de son originalité.

Str. I, v. 1. *Le vierge, le vivace et le bel aujourd'hui...* confiance dans la journée qui s'annonce, pureté de l'espoir...

v. 2. *nous...* emploi explétif et familier que justifient l'impatience et la violence du désir de libération.

coup d'aile ivre... achève de donner l'impression de rapidité joyeuse commencée au premier vers. Le poète va-t-il accepter, pour une fois, l'inspiration du moment, telle qu'on se la figure d'ordinaire, subite, désordonnée, généreuse ?

ivre... indique assez que, pour la recevoir avec reconnaissance, il ne lui en refuserait pas moins son estime. Trois mois plus tôt, il publiait *Prose pour des Esseintes*, dans laquelle il déclarait préférer le travail lent et conscient. Mais certain matin, ne croit-on pas que tout est facile et que le génie nous habite ?

v. 3. *Ce lac dur oublié que hante sous le givre*

v. 4. *Le transparent glacier des vols qui n'ont pas fui...* Il y a peut-être ici surcharge d'images : le *lac dur*, le *transparent glacier*, l'un contient l'autre...

les vols qui n'ont pas fui... allusion aux poèmes non nés ; elle réunit les deux

métaphores de la strophe. Les poèmes
qui ne se sont pas envolés jusqu'à
l'existence forment un glaçon qui
demeure sous le givre d'un lac gelé...

« Ce dernier quatrain, dit Thibaudet,
isolé, suffit, je crois, à nous montrer
juxtaposés, un peu hostiles, les deux
ordres d'images, de figures qui, en se
distinguant, se mettent l'un l'autre en
valeur dans la poésie de Mallarmé. D'un
côté une ampleur de passé à forme
d'espace, de l'autre une pointe d'instant,
un visage vivant de durée... L'instant,
l'état de grâce, va-t-il se libérer de la
prison de glace... Mais, des figures calmes
et sculpturales aux figures de la flexion
et du vol, des racines de la forêt à l'instrument des fuites, le même genre
subsiste, et la transition ne s'interrompt
pas. Le passé et l'aujourd'hui, le dur lac
et le coup d'aile ivre qui s'apprête vaine-
ment à le fuir, sont faits de la même
blancheur, comme la même eau compose
et la glace et les vapeurs qu'élève une
haleine de soleil... (*La Poésie de Stéphane
Mallarmé*, p. 217).

Str. II,   *Un cygne d'autrefois se souvient que c'est
v. 1.   lui*... le gallicisme « c'est lui » amène au
bout du vers le pronom qui désigne le
nom qui l'a commencé. L'identification
entre l'être du passé et celui du présent

est ainsi déclarée mais aussi suggérée
par la structure du vers qui oscille entre
son premier et son dernier mot.

v. 2.   *Magnifique*... Aucun enjambement n'eut
jamais tant de puissance suggestive.
Entre autres mérites, il a celui-ci que le
rejet n'a pas l'air de qualifier le *Cygne*
qui se décrit mélancoliquement d'*autrefois*, mais ce pronom bref et sonore, à la
rime, et sur quoi se déverse tout l'orgueil
refoulé.

v. 3.   *la région où vivre*... Dans *Prose pour des
Esseintes*, Mallarmé l'a décrite, cette
région, ce « midi » dont sa géographie
personnelle fait une île *où toute fleur
s'étalait plus large* ; là aussi, il avoue
n'avoir pas eu assez de force pour faire
une exploration ou une création complète. La région où vivre, pour lui, c'est
le temps où il aurait la force et le loisir
d'écrire. Ces mots, vivre, écrire, ennui,
ces mêmes sentiments, on les retrouve
dans une lettre de 1864 adressée à
Mistral, ce qui permet de déduire avec
quelque vraisemblance que la conception
du sonnet remonte peut-être à cette
date : « Les choses de la vie m'apparaissent trop vaguement pour que je les
aime et je ne crois vivre que lorsque
j'écris des vers ; or, je m'ennuie parce

que je ne travaille pas... » [1] Il est vrai
que ces mêmes mots ou de semblables
courent tout au long de sa vie...

v. 4.   *Quand du stérile hiver a resplendi l'ennui...*
Faut-il rattacher ce vers à « chanté » ou
à « vivre » ? Cela dépend dans quel sens,
propre ou figuré, Mallarmé a employé
« hiver ».

Sens propre : S'il désigne vraiment la
saison, le vers dépend de « chanté » et
signifie : pour n'avoir pas, pendant l'hiver,
travaillé à créer la région hyperbolique
que l'on sait.

L'éloge de l'hiver, en tant que saison
du travail, on le rencontre plusieurs fois
dans Mallarmé :

L'hiver, saison de l'art serein, l'hiver lucide,
                                    (Renouveau.)

Hier, j'ai trouvé ma pipe en rêvant une longue
soirée de travail, le beau travail d'hiver. *(La Pipe.)*

Il se trouve déjà dans Baudelaire :

Et quand viendra l'hiver aux neiges monotones,
Je fermerai partout portières et volets
Pour bâtir dans la nuit mes féeriques palais.
                                    (Paysage.)

La seule objection à cette interprétation est *stérile*, mais précisément le mot
est là.

---

[1] *Lettres de Mallarmé à Aubanel et à Mistral.* Collection du Pigeonnier, 1924, p. 41.

Sens figuré : « l'hiver » désigne la vieil-
lesse ou l'impuissance, le temps où le
poète n'écrit plus, abandon ou difficulté
de l'inspiration. « Stérile » et « ennui »
trouvent du coup leur justification et
l'on peut lire des vers dans leur ordre
qui est aussi l'ordre syntaxique. Dans
ce cas aussi, « vivre » qui ne termine plus
le sens de la strophe (et que ne suit
d'ailleurs aucune ponctuation tandis qu'il
y a un point après « ennui ») n'est plus
employé dans le sens absolu[1].

Str. III, *secouera*... on aurait pu croire que, dans
v. 1. le premier quatrain, « givre » était super-
fétatoire ; mais non ; qu'aurait-il pu
secouer, le cygne, s'il n'y avait eu qu'un
lac gelé et un dur glacier ? Rien n'est
inutile dans la composition d'un sonnet
mallarméen.

v. 2. *Par l'espace infligée à l'oiseau qui le nie...*
Vers essentiel pour la compréhension du

---

[1] M. Robert Vivier m'a fait remarquer que l'on
pourrait aussi bien rattacher le vers à *se souvient* ou
à *délivre* sans altérer fondamentalement le sens de la
strophe. Je retiens la deuxième suggestion tout à fait
plausible. « Quand, dit mon correspondant, le cygne
emprisonné cherche-t-il à se délivrer ? Quand du
stérile hiver a resplendi l'ennui ». Oui, la réponse a
l'air de venir naturellement. Outre qu'il faille se
méfier des réponses naturelles, pour Mallarmé,
j'objecterais qu'il faudrait donner à *quand* la signification restreinte *au moment où* et à *vivre* ce sens absolu
dans lequel je doute fort que Mallarmé l'ait pris. Ces
arguties prouvent assez que la facilité du poème n'est
vraiment qu'apparente.

sonnet et que méconnaissent ceux qui
font du cygne une victime de la vie,
tandis qu'il est dépeint victime de l'espace.
Duel inégal : l'espace, autre mot pour
remplacer *azur*, l'espace inflige le supplice,
le supplicié se venge en niant l'espace [1].

Str. IV,   *vêt*... emploi rare du simple d'un verbe
v. 1.   dont on ne connaît plus que le fréquen-
        tatif.

        exil... exilé non des hommes, mais de
        l'idéal.

        inutile... parce que le poète ne produit
        pas, d'une part, et que, d'autre part, il
        n'a pu oublier, on ne lui a pas laissé
        oublier, dans le sort commun des hommes,
        une aspiration initiale.

Si l'on a méconnu l'originalité du fond, en revanche,
l'art du sonnet, la science de sa structure, la beauté
de la forme, tout cela fut complaisamment et à bon
droit, reconnu. La dernière strophe, qui achève dans
l'immobilité ce qui avait commencé dans le mouvement le plus véhément, est l'objet d'analyses enthou-
siastes ; à la plus fine, qui est celle de Thibaudet
(*op. cit.*, p. 250), il ne faut ajouter que l'éloge du
premier vers :

    Le vierge, le vivace et le bel aujourd'hui

---

[1] Rappelons que l'association des mots *espace-nie*
se rencontre dans le sonnet *Quand l'ombre menaça
de la fatale loi* et que c'est le sens irréfutable qu'elle a
ici qui confirme celui qu'elle a là.

Vers dynamique, dira-t-on en jargon moderne, articulé audacieusement sur un adverbe substantivé et trois épithètes qui s'interposent entre lui et l'article, signe apparent de sa dignité. Cet éloignement de l'article engendre ainsi cette légère hésitation sur la nature des mots en les faisant prendre tour à tour pour le substantif attendu et trois fois différé, artifice de rythme qui semble imiter le départ quatre fois renouvelé de l'élan. L'allitération en *v* se fortifie en *b* comme si, la vibration graduellement augmentée, l'avion de l'espoir quittait enfin le sol.

Comme la plupart des très beaux vers, celui-ci constitue une définition. Définition d'*aujourd'hui*, par addition des trois attributs ; définition du présent, de la joie essentielle de chaque matin neuf de la vie.

Une dentelle s'abolit
Dans le doute du Jeu suprême
A n'entr'ouvrir comme un blasphème
Qu'absence éternelle de lit.

Cet unanime blanc conflit
D'une guirlande avec la même,
Enfui contre la vitre blême
Flotte plus qu'il n'ensevelit.

Mais chez qui du rêve se dore
Tristement dort une mandore
Au creux néant musicien

Telle que vers quelque fenêtre
Selon nul ventre que le sien,
Filial on aurait pu naître.

En 1887, Mallarmé publia, à la *Revue Indépendante*, en une seule fois, rare prodigalité, un lot de quatre sonnets dans leur version définitive : *Tout orgueil fume-t-il du soir*, *Surgi de la croupe et du bond*, *Une dentelle s'abolit* et *Mes bouquins refermés sur le nom de Paphos*.

A les regarder de près, ils ont entre eux des liens visibles, tant au point de vue de l'inspiration qu'à celui de la technique. La maison sans gloire, le vase sans fleur, la chambre sans lit et le livre fermé, quatre variations sur le même thème.

Symbolique à la manière symboliste (ce qui n'est pas fréquent chez Mallarmé, où Emile Verhaeren [1] a vu plus justement une méthode emblématique), une même pensée les habite qui est l'absence définitive du vestige probant, l'absence de la destination,

---

[1] C'est en rendant compte de la publication de *Pages*, le 17 mai 1891, dans l'*Art Moderne*, que Emile Verhaeren emploiera ce mot qu'il applique à la prose de Mallarmé. Il convient aussi, semble-t-il, pour décrire ses procédés poétiques. Voici le passage : « J'ai souvent songé en lisant *Pages* à ces miroirs placés les uns en face des autres et qui, au bout de leur avenue de clartés, répercutent certes la même image toujours mais combien différente en chacune de leurs cloisons transparentes. De même, les phrases approfondies de Mallarmé. Chacune reflète la donnée une, idée ou sentiment, de l'ensemble, mais différemment et la concentrant et comme la suçant vers un dernier foyer, là-bas. La méthode de développement la plus curieuse s'affirme en ce livre : emblématique. »

à travers lesquelles Mallarmé pense à l'absence de son œuvre.

L'absence des choses, pour Mallarmé, est en quelque sorte, leur définition, leur meilleure définition. Conception répandue depuis et que l'on retrouve formulée à peu près sous tous les cieux littéraires ; en voici, par exemple, une version mexicaine :

Les choses sont dans la poésie par leur absence, c'est-à-dire par leur plus grande vérité. Ce que nous laissent d'elles les choses qui nous ont quittés, c'est l'ineffaçable, leur essence pure. Absentes et présentes, leurs retours les montrent submergées par le flux du temps, leur présence devient un miracle, le miracle originel de l'apparition des choses. Poésie est sentir les choses en *status nascens* [1].

A ce moment de la pensée et du style de Mallarmé, la vision se resserre, le jeu d'images se restreint, le langage se contracte, et le vocabulaire se répète. Si bien que chaque poème nouveau apparaît comme la forme quintessenciée de tous les autres, la réduction d'un système.

Rien n'est plus frappant dans *Une dentelle s'abolit*, qui semble une combinaison d'un passage de l'*Ouverture d'Hérodiade*, d'un vers des *Fenêtres*, d'une image de *Don du Poème* et du vocabulaire de *Sainte*. Pas un symbole qui ne soit déjà défini autre part, pas un mot qui n'apporte ici l'auréole acquise ailleurs ; pas une association qui ne se rattache à la fidèle idée d'absence.

---

[1] Maria ZAMBRANO, *Filosofia y Poesia*, Morelia, 1939.

La composition du sonnet se fait en deux temps
et correspond aux groupements strophiques ; elle
comprend : une description objective (les deux
quatrains) d'une chambre sans lit envahie par une
lumière si blanche qu'elle abolit la blancheur des
rideaux.

Une transposition subjective (les deux tercets) ;
allégorie qui pourrait se traduire ainsi : dans l'âme
harmonieuse du poète *(aux creux néant musicien)*,
il existe un amour de la poésie, une disposition à
chanter telle *(une mandore telle que)* qu'un art *(vers
quelque fenêtre)* aurait pu en naître qui n'eût pas
d'autre origine *(selon nul ventre)* que cet amour
même *(que le sien)*.

Str. I Description des rideaux d'une fenêtre.
La dentelle s'efface (à cause de la lumière
blanche qui entre) devant le spectacle
sur lequel elle s'ouvre (ou devant l'absence d'objet qu'elle éclaire).

Il est très important de *voir* qu'il s'agit
des dentelles, non d'un lit, mais de la
fenêtre ; l'on ne sera pas tenté, en se
tenant à une description concrète, d'introduire trop vite le symbole et l'on
pourra mieux suivre les particularités
syntaxiques du texte.

v. 1. *Une dentelle...* la chambre vide et le lit,
et l'aube les éclairant, forment un décor
repris de l'*Ouverture ancienne*. C'est le
gendre du poète, le Dr Bonniot, qui a

révélé l'existence de ce long morceau en
le publiant le 1ᵉʳ novembre 1926 dans la
Nouvelle Revue Française. Il devait, dans
la pensée de Mallarmé, servir de prélude
à *Hérodiade*. Ayant renoncé, pour des
motifs jusqu'ici inconnus, à le publier,
il semble l'avoir considéré à peu près
comme un magasin d'accessoires où il
emprunta pour ses poèmes postérieurs.
Et rien ne marque plus la constance et
l'unité de sa pensée, que l'utilisation
de cet ancien matériel, que la reprise
en 1887, d'un décor, d'un vocabulaire
déjà fixés et médités en 1865.

S'abolit... mot introduit dans le langage
poétique par ˙Gérard de Nerval ; puis
adopté et employé par Mallarmé dans :
Ouverture ancienne d'Hériodade (v. 1
et 2), *Toast Funèbre* (v. 28), *Ses purs
ongles* (str. II, v. 2), *A la nue accablante
tu* (str. II, v. 4) et dans *Toute l'âme
résumée...* (str. I, v. 4).

v. 2.   *Jeu suprême...* Le thème du lit conduit,
par une association rapide, à voir dans
le *Jeu suprême* une allusion à l'amour.
Mallarmé aime ces sortes de pièges. Une
association d'idées plus contrôlée conduit
à diminuer la part du symbole au profit
de la simple description. Or, l'heure du
poème est celle du matin, c'est l'heure
où il est le plus vraisemblable que les

dentelles s'abolissent, noyées dans la lumière laiteuse, *douteuse*, de l'aube.

Le *Jeu suprême* est le jeu essentiel, générateur des jours et de la vie, le jeu de Dieu (d'où la majuscule et d'où l'épithète), le retour renouvelé de la lumière.

Dans la *Prose pour des Esseintes*, Mallarmé emploie de même « jeu » pour désigner un retour périodique de forces naturelles, le flux et le reflux des eaux :

> Et non comme pleure la rive,
> Quand son jeu monotone ment

Doute... n'a donc pas un sens moral mais, suivant la manière et même la méthode mallarméenne, un sens concret ; il désigne une couleur, une nuance et un moment de l'aurore.

v. 3. *A n'entr'ouvrir...* a la valeur d'un gérondif et se rattache à *abolit*. Une dentelle s'abolit en n'entr'ouvrant...

Ne croyons pas qu'il soit exagéré de remarquer que l'expression, par les apostrophes, paraît elle-même deux fois s'entr'ouvrir... ce sont minuties graphiques que Mallarmé chérissait.

v. 4. *Absence éternelle de lit...* Mallarmé, ici comme ailleurs, prête une qualité positive à l'absence. Cependant, il faut prendre à la lettre ce que dit le vers : *il n'y a pas de lit* ; les rideaux s'ouvrent sur une chambre vide [1].

Une exégèse habile a été faite de ce sonnet par C. Soula (*La Poésie et la Pensée de Stéphane Mallarmé*, Paris, 1919). Cependant son interprétation ne paraît pas juste parce qu'il s'est trompé au départ. Pour lui, *absence de lit* signifie lit vide, et, par suite, il voit les dentelles sur le lit. Ce changement dans le décor réel embrouillera inévitablement et inutilement le symbole des deux tercets. De plus, contrairement à l'avis de C. Soula, le lit n'est pas, dans ce sonnet, le lieu de l'amour mais celui de la naissance. En somme, cette première strophe revient à dire : l'aurore se lève sans voir une naissance. Et l'on verra que chacun des mots du dernier tercet prouve que le poète songe à une naissance spirituelle : l'unité du sonnet est ainsi préservée.

Str. II.   Strophe descriptive exclusivement, dont seul le dernier mot, par un choc en retour, vient approfondir la résonance.

v. 1.   *Cet unanime blanc conflit...* Malgré les deux mots abstraits dont se compose ce

---

[1] Dans la même *Revue Indépendante*, un mois après la parution du sonnet, Teodor de Wyzewa en faisait le commentaire et affirmait : « Nul lit n'est, sous cette dentelle... »

joli vers bref qui se balbutie comme
poésie pure, il est tout concret et décrit
un fouillis de dentelles ; il faut donc se
garder d'attribuer à *conflit* un sens trop
lourd, et suivre le procédé propre à
Mallarmé : non plus tirer la métaphore
de l'objet mais l'objet de la métaphore.

v. 2. *Guirlande...* sens propre, les guirlandes
de dentelle. C. Soula veut que *guirlande*
signifie poème ; sa justification ne compte
plus dès que dans le sonnet *Quand
l'ombre menaça de la fatale loi*, on sait
que *guirlandes célèbres* désignent les
étoiles ; ce mot ne peint vraiment qu'un
mouvement, une courbe, un enchaîne-
ment, « signe de mouvements » comme
dit Thibaudet qui vantait dans ce sonnet ce « frémissement de mouvements
enchevêtrés et esquissés » (*op. cit.*, p. 195).

Avec la même... la même guirlande.

v. 3. *Enfui contre la vitre...* « contre » n'est pas
explicable si on place la dentelle, point
de départ de la vision réelle et de la
vision poétique, autre part que devant
la fenêtre.

vitre... il s'agit de la vitre réelle ; mais
parallèlement à elle (en face de quoi un
lit aurait pu se trouver), le poète songe
aux fenêtres mystiques au travers des-
quelles une œuvre existante eût pu

chanter la Beauté. Il faut rappeler ici le vers célèbre :

— Que la vitre soit l'art, soit la mysticité —

qui, dès 1866, établit la métaphore fondamentale de la symbolique mallarméenne.

v. 4.   *Flotte plus qu'il n'ensevelit...* La dentelle ne pèse mais elle bouge, autre signe de mouvement ; elle n'est pas un linceul, parce qu'il n'y a rien dans la chambre, pas même son meuble habituel, le lit, lieu d'une possible naissance.

Str. III,   *Mais...* modeste conjonction que Mal-
v. 1.   larmé a mise en place d'honneur, ouvrant l'allégorie des deux tercets ; charnière non du langage mais de la pensée ; moment où le sonnet tourne sur lui-même et passe de la donnée objective à la donnée subjective [1]. De toute nécessité, il faut donc établir, entre les quatrains et les tercets, un parallélisme contrastant et opposer l'absence de lit à la présence de la mandore, la chambre vide au *creux néant musicien.*

chez qui du rêve se dore... c'est le poète ; c'est lui-même.

---

[1] La force adversative de ce *mais* est telle qu'il est suivi, dans le texte de la *Revue Indépendante* de 1887, d'une virgule.

v. 2. *Tristement dort une mandore...* Quand on
soustrait du vers le calembour : *ment
dort* qui répète la rime, il reste *triste* qui
indique, comme dans une partition, le
ton de l'antienne ; *ment dort, mandore*
imite la rengaine murmurée, la mélopée
des vieux instruments. Dans un autre
poème dont le sujet est non pas l'absence
d'une naissance mais, au contraire, une
horrible naissance, c'est une voix aussi
qui l'annonce, rappelant *viole* et *clavecin*.
(*Don du Poème*, 1884, mais écrit en 1865).

mandore... ce nom d'un ancien instrument de musique (espèce de luth à quatre
cordes) très rare en poésie et surtout à
la rime se rencontre d'une manière
analogue dans *Sainte* :

Jadis avec flûte et mandore.

v. 3. *Au creux néant musicien...* périphrase
et même définition de son âme, calquée
sur celle de l'instrument ; sa forme : un
creux néant ; sa qualité : musicien ; elle
est un vide dont la nature est de chanter.

Str. IV, *Telle que...* autre articulation sur laquelle
v. 1. bascule le sens du sonnet : *une mandore...
telle que... filial...*

vers quelque fenêtre... il s'agit cette fois
des fenêtres symboliques de l'art ; le
rapprochement s'impose donc avec le
vers-clef des *Fenêtres* cité plus haut.

v. 2.   *Selon nul ventre que le sien...* l'idée de la
        naissance appelle *ventre* tout autant que
        la forme de l'instrument.

v. 3.   *Filial...* à la place qu'il occupe, on devine
        que le poète a chargé ce mot d'inten-
        tions ; il sonne douloureux, fervent,
        nostalgique, pieux, suivant celle qu'on
        adopte ; mais surtout pathétique quand
        on songe que celui qui a porté, au long
        de toutes ses années, le rêve très net et
        très pur d'une œuvre suprême et irréa-
        lisée et qui a consenti, en son nom, d'être
        moqué et insulté de ses contemporains,
        qui lui a sacrifié une facile célébrité, n'a
        cependant vécu que de l'espoir de devenir
        enfin le fils de cette œuvre.

        C'est dans le ton mineur qu'il faut
        aussi entendre le triste conditionnel
        aurait pu.

        naître... dernier mot vers quoi converge
        le sonnet et qui donne raison à l'inter-
        prétation qui voit dans le poème l'allé-
        gorie de la naissance, de la création
        avortée, de la présence dominatrice d'une
        œuvre absente.

Mes bouquins refermés sur le nom de Paphos,
Il m'amuse d'élire avec le seul génie
Une ruine, par mille écumes bénie
Sous l'hyacinthe, au loin, de ses jours triomphaux.

Coure le froid avec ses silences de faulx,
Je n'y hululerai pas de vide nénie
Si ce très blanc ébat au ras du sol dénie
A tout site l'honneur du paysage faux.

Ma faim qui d'aucuns fruits ici ne se régale
Trouve en leur docte manque une saveur égale :
Qu'un éclate de chair humain et parfumant !

Le pied sur quelque guivre où notre amour tisonne,
Je pense plus longtemps peut-être éperdûment
A l'autre, au sein brûlé d'une antique amazone.

Ce poème appartient au groupe des quatre sonnets qu'on pourrait appeler les sonnets négatifs, où, plus encore qu'ailleurs, Mallarmé a tenté d'investir l'absence d'une valeur positive, « de faire passer », comme dit Thibaudet, « à l'être, un défaut d'être » ;

il condense, continue le critique, avec une admirable pureté, ce sentiment qui fait que Mallarmé considère un objet, traite un sujet, en se transportant à la limite où ils cessent d'exister, où ils deviennent absence, nostalgie, où de leur défaillance ils acquièrent une valeur supérieure de songe.

(*La Poésie de Stéphane Mallarmé*, p. 138).

Il parut, pour la première fois, en même temps que les autres, *Tout orgueil fume-t-il du soir, Surgi de la croupe et du bond, Une dentelle s'abolit,* dans le numéro de janvier-mars 1887 de la *Revue Indépendante* ; mais, tandis que ces trois premiers étaient réunis sous le titre de *Sonnets,* celui-ci, à part, portait son titre particulier : *Autre sonnet.* Il est le seul aussi à présenter une variante : *Si ce très pur ébat...* qui deviendra dans l'édition photolithographiée : *Si ce très blanc ébat...* pour varier encore une fois, quelques mois plus tard, dans l'*Album de Vers et Prose: Si ce très vierge ébat...*

Si l'on considère le sonnet comme une quatrième formule, en termes poétiques, de l'existence du non-être, il comporte cependant une nuance qui justifie-rait que Mallarmé l'ait détaché des autres. Le point de départ de ceux-ci, spectacle d'un vide ou d'un possible, est un spectacle toutefois extérieur, constaté. On assiste, dans celui-là, à l'élaboration volontaire du vide, au détachement successif d'un spectacle, fiction ou souvenir, qui est lui-même forgé et gratuit.

Le paysage imaginé préféré à la vision directe (première strophe), mais celui-ci effacé à son tour par une réalité dirimante (deuxième strophe), rappel d'un objet d'amour (premier tercet) aussitôt délaissé pour son semblable qui n'eut jamais ni forme ni place (deuxième tercet), processus d'effacement vers de moins en moins de présence. C'est que paysage et objet, pour n'être que pure évocation n'en sont pas moins mentalement *vus* ; ils participent ainsi à trop d'existence encore : que la pensée fasse donc disparaître ce que, par jeu ou par désir, elle avait fait apparaître. Car dans des abolitions diverses, le poète trouve sa prédilection et son plus haut et plus héroïque plaisir...

La qualité extraordinaire, dans ce sonnet, c'est son architecture. C'est la manière dont les pièces y sont ajustées ; c'est l'agencement de ses parties et leur rattachement à un centre invisible mais existant, comme si premier mot, dernier mot, rimes, métaphores se déroulaient d'un fuseau de tout temps préparé. De cet appel mutuel des mots, l'exemple le plus frappant est *Paphos* à quoi répond, après des détours que l'on croit d'abord capricieux et qui se révèlent prémédités, le nom nécessaire d'*amazone*. Au reste, l'explication linéaire fera mieux apparaître la composition concertée du poème.

Str. I, v. 1. *Paphos*... Bien qu'on le retrouve dans la troisième strophe de *Lesbos*, ce n'est pas au compte de l'influence de Baudelaire qu'il faut porter ce mot ; il répond à des exigences profondes d'associations et de remplacements d'idées. Ne rappelons, pour le moment que ceci : Paphos et particulièrement Palé-Paphos, située à l'est de l'île de Chypre, est une des villes dont la fondation est attribuée aux Amazones.

v. 2. *Il m'amuse*... Mallarmé annonce expressément qu'il s'agit d'un jeu.

avec le seul génie... et d'un jeu de l'esprit (génie est employé ici dans son sens latin, ingenium). Ce jeu consiste à recréer d'imagination un paysage de chaleur et de lumière, celui de Paphos, au temps de sa splendeur *(Sous l'hyacinthe... de ses jours triomphaux)*. On peut, comme Thibaudet, voir dans ces vers l'écho d'une conception baudelairienne du paysage artificiel :

... Quand viendra l'hiver aux neiges monotones
Je fermerai partout portières et volets
Pour bâtir dans la nuit mes féeriques palais...

quoique l'hiver joue dans ce sonnet, un bien autre rôle ; la neige, loin d'être monotone et comme passive, annule par l'agitation de ses mouvements, le paysage mental.

v. 3.   *par mille écumes bénie....* nul détail n'est
superflu chez Mallarmé, et l'on voit que
chacun de ces mots, *mille, écumes, bénie,*
a sa légitimation historique ou du
moins légendaire, si l'on se souvient que
l'on situe à Paphos la naissance d'Astarté
(bénie) sortant de l'*écume* parce que les
vents agitaient spécialement les eaux
(mille) à cet endroit de la côte.

v. 4.   *hyacinthe...* désigne probablement, comme
dans l'antiquité, l'étoffe d'apparat couleur hyacinthe.

Str. II,   *Coure le froid avec ses silences de faulx...*
v. 1.   Mais que le paysage réel d'hiver vienne
à effacer le paysage fictif, le poète ne le
regrette pas (d'où l'optatif, *coure*).

v. 2.   *Je n'y hululerai pas de vide nénie...* Avec
le précédent qui décrit non pas banale-
ment le sifflement de la bise mais, au
contraire, les moments plus sinistres
d'accalmie *(silences de faulx)*, ce vers
montre quels effets Mallarmé a tiré de
ses tournures négatives et de sa manière
de donner valeur à l'absence.

nénie... Ce n'est pas seulement à un
souci parnassien que Mallarmé a cédé
en mettant à la rime ce mot rare qui
désignait, dans l'antiquité, des chants
funèbres ou des lamentations ; outre
qu'il est appelé par l'hellénisme du premier quatrain, il a l'avantage d'allonger

l'allitération en *n*, et, plus encore, si l'on pense au goût de Mallarmé pour les calembours, il offrait, décomposé, deux mots négatifs, *ne-nje*. (Il s'emploie ordinairement, croyons-nous, au pluriel, et c'est la nécessité de la rime, sans doute, qui a fait commettre au poète une licence poétique.)

v. 3. *blanc ébat...* on voit, d'après les variantes, que Mallarmé a hésité, en l'espace de quelques mois, entre trois mots aimés de lui, *pur*, *blanc* et *vierge* [1] à partir de l'édition Deman de 1899, retour à la deuxième version. En optant pour l'épithète de couleur, Mallarmé obéissait-il à un souci de peintre ou songeait-il à l'avantage (mais le cherchait-il ?) de rendre la périphrase explicite ?

ébat... procédé très mallarméen : tirer du concret (neige), pour le remplacer et le nommer, un aspect, un attribut le plus proche d'une abstraction, comme, par exemple, le mouvement... Par exemple ? mais ici en rapport avec l'idée centrale du poème : parce que la neige est un ébat, un mouvement continu et multiple qui appelle les yeux, elle distrait la pensée d'un travail intérieur et imaginatif.

---

[1] Mallarmé comptait *vierge* pour deux syllabes dans les poèmes du début.

v. 3 et 4.   *Si ce très blanc ébat au ras du sol dénie*
              A tout site l'honneur du paysage faux...
La facilité du poème est tout apparente ;
ces deux vers sont souvent pris à contresens. Mme Anne Osmont (*Le Mouvement
Symboliste*, p. 29), comme d'autres commentateurs, les traduit ainsi : « Je ne me
plains pas de l'hiver, puisque sa blancheur
uniforme efface tout réel paysage et
laisse carrière à l'imagination ». Non, la
neige, après avoir effacé le paysage réel
(mais le poète ne le dit pas et pourquoi
le critique substitue-t-il son « uniforme »
à l'« ébat » du poète ?) neige aussi sur
l'évocation lumineuse de Paphos qu'elle
chasse, car le poète ne voit plus, au ras
du sol, que cette danse des flocons qui
empêche toute concentration de l'esprit
comme le ferait la balle bondissante
d'un enfant.

dénie... refuse à...

v. 4.   *A tout site l'honneur du paysage faux...*
Si la neige empêche le paysage faux
d'exister. C'est *honneur* qui nous assure
du sens ennobli de *faux* (imaginé).

A tout site... n'importe quel site ; aussi
bien le site réel qui ne peut plus donner
lieu à une transposition artistique, littéraire ou simplement fictive, que le site
ressuscité, inventé, rappelé. Le premier
quatrain décrit donc un bien possédé,

une joie positive quoique tout imagina-
tive ; dans le second, en voici le poète
dépossédé sans qu'il s'en plaigne. Présence, absence, balancement sans amertume parce qu'il répond à un goût
étrange de la privation. Preuve de sa
sincérité : un autre exemple (annoncé
par les deux points au bout du vers)
mais choisi de telle manière qu'il ramè-
nera la pensée à son point de départ.
Un sein, un fruit, bien possédé, joie
positive :

Qu'un éclate de chair humain et parfumant !

mais voici le poète qui s'en dépossède :

Je pense plus longtemps peut-être éperdûment
A l'autre, au sein brûlé d'une antique amazone.

Str. III, *d'aucuns fruits*... On pourrait se demander
v. 1.   quels sont ces fruits, si le vers suivant
ne venait pas immédiatement les déter-
miner : *leur docte manque* ; il s'agit donc
de fruits destinés à la jouissance de
l'esprit (mais tant de négatifs, dans ces
deux vers, font une trahison de tout
langage déclaratif).

v. 2.   *docte manque*... [1] prouve bien que le
paysage de Paphos a été aboli, que

---

[1] A. Thibaudet (*op. cit.*, p. 138) fait remarquer que
nombre de mots de ce sonnet, *manque, éclate, éperdûment*, se retrouvent dans une phrase de la *Musique
et les Lettres*... c'est qu'en vérité, le vocabulaire de
Mallarmé est si restreint que la même phrase, coïnci-

l'imagination n'a pas pu continuer à se donner libre carrière. *Docte* répond à *avec mon seul génie.*

v. 3. *Qu'un éclate de chair humain et parfumant..* En l'absence de toute nourriture spiri- tuelle, le poète se plairait à la vue d'un sein découvert près de lui.

qu'un... (fruit) la comparaison du fruit et du sein, exprimée, serait brutale et banale ; le bénéfice de l'ellipse est de créer une hésitation, une délicatesse, une pudeur.

éclate... à l'optatif *coure* correspond celui-ci.

parfumant... au lieu du banal parfumé ; l'action rayonnante au lieu du passif.

Str. IV, *guivre...* le mot ne désigne évidemment
v. I.   pas la bête elle-même mais l'ornement en forme de guivre qui sert de chenet ; on le rencontre déjà dans *Frisson d'hiver* : *un rivage de guivres dédorées.* Dans *Ses purs ongles très haut dédiant leur onyx,* il y a, semblablement, un décor en forme de licorne :

Des licornes ruant du feu contre une nixe,

et dans *Tout orgueil fume-t-il du soir,* un

_____

dence bien plus extraordinaire, contient aussi *ennui, solitaire, espace, fête* qui sont les mots-clés du sonnet *Quand l'ombre menaça de la fatale loi...*

ornement de la console suggère un oiseau
de proie :

Agrippant comme avec des serres

Peut-être, y avait-il, dans le salon de
Mallarmé, un motif de la cheminée ou
de la console qui, différemment visionné,
devenait, suivant le cas quelque monstre
symbolique.

L'idée de reflet figurant un monstre
se trouve aussi dans *Toast Funèbre* :

J'offre ma coupe vide où souffre un monstre d'or!

tisonne... il s'agit seulement d'un souvenir...

v. 2. *Je pense plus longtemps...* auquel il pen-
sait, toute réalité écartée.

éperdûment... l'objet absent éveille en
lui plus de passion encore que l'objet
fictif qui lui-même est meilleur que
l'objet réel.

v. 3. *A l'autre...* (fruit), deuxième partie de
l'expression *l'un l'autre*, mais cette fois,
l'apposition, *au sein*, complète la comparaison sans doute possible.

v. 4. *Amazone...* Ainsi le poème finit sur une
rime annoncée par la première ; il se
trouve composé, la ville de Paphos
impliquant et amenant l'évocation de
la légende de ses fondatrices, entre un
début et une fin qui correspondent et qui
ouvrent et ferment le cycle des associations.

Il est très exaltant de monter avec Mallarmé, comme il nous y convie à l'ordinaire, aux plus purs sommets ; il est très charmant, quelquefois, de surprendre ses sourires ou ses détentes.

La note de l'amusement, le ton de l'improvisation et du brio sont trop rares pour ne pas les saisir au passage et pénétrer ainsi dans l'intimité de son esprit, passagèrement sans défense.

La Déclaration foraine, parue dans l'*Art et la Mode*, le 12 août 1887, raconte que, parti en voiture avec « Madame... seule tu sais Qui », pour une promenade paisible, le poète se rend bientôt au souhait de sa compagne qu'une fête foraine de la banlieue tout à coup tenta. Et voilà Mallarmé sollicité de faire ce qu'il déteste le plus au monde, se mêler à une foule criarde. Néanmoins, gentil et courtois,

je décidai, la solitude manquée, de m'enfoncer même avec bravoure en ce déchaînement exprès et haïssable de tout ce que j'avais naguères fui...

Dans la cohue où ils se promènent, Méry s'appuyant à lui, « du bras ingénu, elle s'en repose sur moi », ils aperçoivent soudain, « un humain spectacle, poignant », une baraque désoccupée. Aussitôt, la fantasque Méry Laurent, pour spectacle, offrant sa beauté rousse, son éclat et son élégance, s'empare des planches peinturlurées et imagine d'attrouper

les badauds : « Battez la caisse ! » propose-t-elle,
« en altesse », obligeant le discret, le réservé, le doux
Mallarmé d'entrer dans le jeu.

Comment ébaudir et garder le public, se demande
ce raffiné et qui se répond, ô rhétoriqueur, qu'il ne
lui reste que

de recourir à quelque puissance absolue, comme d'une
Métaphore.

Pour en tirer l'inspiration, il jette

Un coup d'œil, le dernier, à une chevelure où fume
puis éclaire de fastes de jardins le pâlissement du
chapeau en crêpe de même ton que la statuaire robe
se relevant, avance au spectateur, sur un pied comme
le reste hortensia

et récite ce sonnet :

> La chevelure vol d'une flamme à l'extrême
> Occident de désirs pour la tout déployer
> Se pose (je dirais mourir un diadème)
> Vers le front couronné son ancien foyer
>
> Mais sans or soupirer que cette vive nue
> L'ignition du feu toujours intérieur
> Originellement la seule continue
> Dans le joyau de l'œil véridique ou rieur
>
> Une nudité de héros tendre diffame
> Celle qui ne mouvant astre ni feux au doigt
> Rien qu'à simplifier avec gloire la femme
> Accomplit par son chef fulgurante l'exploit
>
> De semer de rubis le doute qu'elle écorche
> Ainsi qu'une joyeuse et tutélaire torche

La farce jouée, Méry remercie son poète d'un si galant hommage et se réjouit de l'avoir obligé à « improviser »
ceci jaillit, forcé, sous le coup de poing brutal à l'estomac, que cause une impatience de gens auxquels coûte que coûte et soudain il faut proclamer quelque chose fût-ce la rêverie...

et tel qu'il ne l'aurait pas fait dans l'isolement de la voiture.

Si l'anecdote, peut être en tous points imaginée (mais nous ne le pensons pas), la conversation finale lui prête un air de vraisemblance tout proche de la réalité.

Le posteriori, la part de l'élaboré, dans son « boniment », comme il l'appelle, Mallarmé les trahit dans ce souci, en bon littérateur qu'il est, de signaler les originalités de son sonnet irrégulier : il souligne non seulement les deux dernières rimes, « sa réduplication sur une rime du trait final », mais la nouveauté du groupement strophique « d'après un mode primitif du sonnet » sur lequel il prend soin de nous renseigner par une note en astérisque : « usité à la Renaissance anglaise ».

Le poème, toujours incorporé dans la narration, reparut dans l'anthologie de prose *Pages* que l'éditeur Deman fit paraître en 1891.

Cependant, il avait été isolé de son contexte en mars 1889 quand Mallarmé le donna à la revue *Le Faune* pour inaugurer son premier numéro. A cette occasion, chose curieuse, il apporta au poème deux corrections qu'il ne devait pas conserver et dont l'une illumine le sens du vers entier :

Str. I, v. 2. Occident de désirs pour la tout *éployer*
Str. III, v. 2. Celle qui ne mouvant *bague* ni feux au
[doigt [1]

Reproduisons l'éloge et l'explication du sonnet
qu'en fit, en 1912, A. Thibaudet :

Il me paraît un des plus parfaits, techniquement,
de Mallarmé. D'un bout à l'autre il est tissé d'images
motrices, splendides de raccourci et de feu... Les
deux premiers vers portent deux images parfaitement fondues : une image visuelle de mouvement
externe et décrit qui pose la chevelure, idéalement,
flamme envolée, et une image non visuelle, proprement et intérieurement motrice, kinesthésique, la
tendance voluptueuse de la main à la dérouler toute.
La chevelure est un feu qui, du front, son foyer et
son Orient, doit épanouir sa courbe splendide, crouler
en achevant sa révolution dans sa gloire occidentale.
Elle le doit non d'elle-même, mais parce qu'est présent l'invisible Amour. Son Occident réel et vivant
ce sont les désirs de la main, les désirs pour la déployer
toute, flottant déjà dans les regards... Mais cette
courbe pressentie et cette chute de la chevelure vers
un Occident amoureux, demeurent arrêtées, contenues, disciplinées, ramenées purement en tresses
au foyer du front, disposées en la couronne juste de
la beauté [2].

— Oh ! rien que le lieu commun d'une esthétique !
avait répliqué modestement Mallarmé aux compli-

---

[1] Dès l'édition suivante (*La Jeune Belgique*, février
1890), Mallarmé revenait à son texte primitif devenant définitif. Cette vérification des variantes, j'ai
pu la faire grâce à l'obligeance de M. Henry Charpentier qui me montra la petite revue rarissime.

[2] *Op. cit.*, p. 196.

ments de son amie, et, sans doute, songeait-il que le thème de la chevelure [1], dans les utilisations précédentes, il le devait à Baudelaire. On voit cependant qu'à partir d'une certaine date, à partir de sa rencontre avec Méry la Blonde, et particulièrement ce jour-là, il est devenu un thème personnel.

A la gloire d'une chevelure rousse, le sonnet, répertoire des mots qui désignent le feu, ses couleurs, ses lumières, ses mouvements, est aussi étincelant qu'hermétique.

La première strophe décrit le geste d'une femme qui se repeigne et qui, à la mode du temps, torse ses cheveux autour du front.

Str. I, v. 1. *vol d'une flamme...* apposition de *chevelure*, qui lui sert de description tout en se décrivant elle-même en ce sens que le poète a réussi, avec quelle économie de mots, à peindre à la fois, le mouvement de la flamme et celui des cheveux.

v. 2.   *Occident des désirs...* Quand le désir meurt d'être comblé. Je ne sais s'il faut faire à *Occident* le sort que lui a fait Thibaudet ? Camille Soula y voit, plus justement, un simple équivalent de lumière, de couleur ; je préfère, tenant compte de l'épithète : «... à l'*extrême* occident », le prendre pour synonyme de fin, de chute, non du jour mais du désir.

---

[1] On ne saurait expliquer ce sonnet sans prendre connaissance de l'étude de C. Soula, *La Poésie de Stéphane Mallarmé : Essai sur le Symbole de la Chevelure* (Champion, Paris, 1926).

v. 3.   *(je dirais mourir un diadème)...* la chevelure qui était tout à fait déployée, est
ramenée autour de la tête, *(se pose... vers
le front couronné son ancien foyer)* et
semble ainsi finir *(mourir)* en diadème.

v. 4.   *son ancien foyer...* avant d'être déployés,
les cheveux couronnaient le front.

Str. II.   Sa traduction en prose revient à ceci :
mais, les lampes éteintes *(sans or)*, se
dire *(soupirer)* que la lumière de la chevelure *(cette vive nue)* continue dans la
seule lumière intérieure et originelle des
yeux.

v. 1.   *sans or...* C'est Valéry qui, parlant de
la lumière artificielle dans un vers très
mallarméen de la *Jeune Parque*, l'appelle
« l'or des lampes ».

soupirer que... sorte d'infinitif absolu
où ce qui émerge, c'est le substantif
enclos dans le verbe.

vive nue... « le nuage doué de vie »,
comme dit Soula. Métaphore qu'on
retrouve dans *Quelle soie aux baumes de
temps* ; là, les cheveux étaient si longs
qu'ils semblaient dépasser le miroir qui
les reflétait :

> ... la torse et native nue
> Que, hors de ton miroir, tu tends.

v. 2.   *ignition du feu toujours intérieur...* complément direct de *continue*.

v. 3.   *originellement la seule...* se rattache à *ignition*.

continue... est verbe (et non adjectif comme le pense Camille Soula) dont le sujet est *vive nue*.

v. 4.   *Dans le joyau de...* complément qui dépend de *continue*.

Str. III, *Une nudité de héros tendre...* l'amour du
v. 1.   poète.

diffame... dans le sens de défigurer, défaire.

v. 2.   *Celle qui...* la chevelure, symbole de la femme, sujet de *accomplit*.

ne mouvant astre ni feux au doigt... la version parue dans *Le Faune* autorise à identifier astre à bague ; procédé mallarméen habituel : un attribut de l'objet, (le brillant de la bague) isolé et substantivé, sert à désigner l'objet lui-même, la pierre enchâssée, goutte scintillante, astre.

v. 3.   *Rien qu'à simplifier avec gloire la femme...* l'infinitif a ici le sens fréquent chez Mallarmé, d'un gérondif : rien qu'en simplifiant...

par son chef... archaïsme délibéré ? Quand Ronsard peint les cheveux des Muses enfants :

> L'or de leur chef délié
> (*Ode à Michel de l'Hospital*, Ire épode.)

chef est encore d'un usage courant ; mais, dès le XVIIe siècle, il cède devant *téte*.

Str. IV,   *de semer...* ce rejet qui enjambe la strophe
v. 1.   amorce la métaphore finale.

le doute qu'elle écorche... les rubis, les éclats, semés par la chevelure, entament le bloc dur du doute, en le raclant, en l'écorchant.

v. 2.   *Ainsi qu'une joyeuse et tutélaire torche...* Vers symphonique où convergent tous les mots de lumière, les comparaisons, l'allégorie initiale *(vol d'une flamme)*, les mouvements et la joie même du sonnet.

A la nue accablante tu
Basse de basalte et de laves
A même les échos esclaves
Par une trompe sans vertu

Quel sépulcral naufrage (tu
Le sais, écume, mais y baves)
Suprême une entre les épaves
Abolit le mât dévêtu

Ou cela que furibond faute
De quelque perdition haute
Tout l'abîme vain éployé

Dans le si blanc cheveu qui traîne
Avarement aura noyé
Le flanc enfant d'une sirène

Le public français n'a connu ce sonnet, hermétique s'il en fut, que longtemps après la mort de Mallarmé par l'édition de la *Nouvelle Revue Française* des *Poésies Complètes*, en 1913. Cependant, il n'était pas inédit. Il avait été publié pour la première fois par la revue internationale *Pan*, éditée par O. Julius Bierbaum, à Berlin, qui reproduisait la photo du manuscrit, dans son numéro d'avril-mai 1895, accompagnée d'un dessin de l'artiste belge F. Khnoff.

Une seconde fois, dans la belle édition Deman (Bruxelles, 1899) pour laquelle Mallarmé prit tant de soin la dernière année de sa vie, écrivant notamment pour elle sa fameuse bibliographie, et qu'il ne devait pas voir sortir.

De toute façon, le sonnet date, quant à son exécution aussi bien qu'à son élaboration, d'une époque où Mallarmé, en possession de tous ses moyens techniques, ne livre plus à la publication que des vers définitifs et non ponctués.

Pour sa traduction en clair, on ne possède donc le secours ni d'une version première, ni d'aucune controverse qu'aurait suscitée une exégèse antérieure.

Il existe, il est vrai, deux ou trois variantes que présente une reproduction postérieure et sans garantie, dans le livre de F. Calmettes, *Leconte de Lisle et ses Amis* (Paris, 1902). Signalons-les cependant, parce que, vraies ou fausses, elles sont, malgré tout, significatives. Le vers 3 de la première strophe s'écrit :

> As même les échos esclaves.

Si *as* n'es pas une faute du prote, c'en est une de F. Calmettes lui-même. S'étant trompé sur la valeur de *tu* dans le premier vers, il a cherché dans la même strophe le verbe qui correspondrait à ce soi-disant pronom personnel ; il n'a trouvé que *a* ; il en a aussitôt déduit qu'il y avait là une erreur d'orthographe, et il a rétabli l'*s* obligatoire. Cet *s* de Calmettes prouve que quelqu'un au moins est tombé dans le piège que Mallarmé avait doucement tendu au lecteur rapide qui, victime de la loi du moindre effort, devait être conduit à donner la même nature grammaticale aux deux *tu*, aucune équivoque ne portant sur celui de la deuxième strophe.

Le deuxième vers de la strophe II dans le livre de Calmettes, s'écrit de la façon suivante :

> Le sais écume mais y braves.

Admettant ici encore la possibilité de simples fautes d'imprimerie, il rèste que ces pseudo-variantes ont un sens et que ce sens, tout erroné qu'il puisse être, a son enseignement. La substitution de *braves* à *baves*, n'est pas contraire à l'impression superficielle que laisse la strophe ; dès qu'il s'agit d'un naufrage et de la conscience de périr (évoquée par les mots *sais*, *épave*, et *suprême*), on peut y associer naturellement les notions de résistance et de courage même inutiles qu'éveille le mot braver.

L'erreur la plus intéressante est cependant la suppression des virgules avant et après *écume*. Car dans l'édition définitive et vérifiée de Bruxelles, et que reproduit celle de la *Nouvelle Revue Française*,

ces deux virgules sont les seules que Mallarmé con-
serve dans ce poème dont il a supprimé par ailleurs
toute autre ponctuation. Il a voulu de toute évidence
que *écume* fût pris pour une apostrophe et qu'on
ne commît point la faute d'en faire l'apposition du
complément *le* comme l'induit à penser le texte de
Calmettes. Ainsi, Mallarmé, qui prépare des ruses
pour l'inattentif, s'inquiète de secourir un lecteur
plus curieux.

Ces variantes écartées et rendues inutiles, il ne
reste pour déchiffrer le poème que le seul guide de
la syntaxe.

Trop de critiques très ingénieux admettent ou
impliquent dans leurs commentaires que Mallarmé
écrivait mal le français ; ils se voient obligés, dès lors,
de multiplier les anacoluthes, les syllepses et les
ellipses, pour tirer du texte une interprétation
d'accord avec leur idée préconcue.

Tandis que si l'on part de l'opinion qui est la
mienne, que l'écrivain n'a jamais contrevenu aux
règles exactes de la langue qu'il connaissait mieux
que nous, il suffit de suivre le poème pas à pas et
à la lettre, pour aboutir sans trop d'effort et sans
tour de passe-passe, non plus à une « interprétation »
mais à une modeste et exacte explication.

Si donc, l'on a assisté à la graduelle formation de
son esthétique, si l'on s'est habitué peu à peu à son
vocabulaire et à ses procédés, on n'est pas sans
recours en abordant ce sonnet qui se place à la fin de
son évolution. C'est, appuyé sur une expérience
répétée, que l'on peut donner avec quelque certitude
la transcription réelle du poème.

Remarquons d'abord que les deux quatrains ne forment qu'une seule phrase sinueuse, arabesque dont les mouvements violents conviennent à la figuration d'un naufrage [1].

Décidons-nous ensuite, puisque la première strophe ne présente pas de verbe à un mode personnel, à en chercher un dans la seconde *(abolit)* et, nous en tenant aux strictes fonctions grammaticales, laissant de côté les parenthèses imprimées ou mentales, à dégager la ligne principale : *Quel sépulcral naufrage... abolit le mât dévêtu..., naufrage tu... par une trompe sans vertu... à la nue accablante.*

On peut maintenant revenir aux détails et suivre cette fois le sonnet vers à vers.

Str. I,   *A la nue accablante tu...* on voit ainsi
v. 1.   apparaître la vraie nature et la relation de ce « tu » si troublant : il était simplement la forme du participe passé de taire et se rapportait à naufrage. Pour que nous ne nous trompions pas, pour nous obliger, après *accablante*, à faire une halte salutaire, Mallarmé a multiplié les

---

[1] Pour M. Henry Charpentier aussi, la difficulté des deux quatrains réside dans la dispersion des fonctions grammaticales, désordre intentionnel et répondant à une vision imitative, si l'on ose dire : « Ce sonnet, dit Henry Charpentier, qui passe pour l'un des plus difficiles, perd toute obscurité lorsqu'en supprimant les inversions, on rétablit l'ordre des mots dispersés, suggestivement d'ailleurs, comme les pièces éparses d'un navire que brise la tempête : *quel sépulcral naufrage, tu à la vue accablante, basse de basalte et de laves, ... abolit le mât dévêtu.* » (N.R.F., 1ᵉʳ novembre 1926)

avertissements jusqu'à rendre l'articulation du vers presque impossible par suite de la succession pénible des dentales *tetu* : mais la seule inversion d'une strophe à l'autre suffisait à imposer une pause entre *accablante* et *tu*, pause de la voix, dès lors si sensible et si normale qu'elle rend la ponctuation superflue et justifie son omission.

v. 2.   *Basse de basalte et de laves*... le vers, que l'on pourrait mettre entre deux tirets, sert d'apposition à nue : d'un effet sensoriel à la manière rimbaldienne, ses allitérations et la suite de ses différents *a*, complétée par ceux de *accablante*, imitent mieux qu'une description le poids noir d'un nuage bas.

v. 3.   *A même les échos esclaves*... après avoir admiré la belle et juste épithète d'échos, il faut lire le vers à la suite du quatrième, pour le sens.

v. 4.   *Par une trompe sans vertu*... Elle est sans vertu, la trompe qui aurait dû annoncer le naufrage, le crier aux quatre vents, en remplir les échos, en avertir les nues et le ciel ; au lieu de cela, elle l'a tu ; et la défaite s'est consommée dans le silence et l'ignorance.

Str. II,   *Quel sépulcral naufrage*... voici donc le
v. 1.   sujet des deux quatrains et la base de l'allégorie.

La présence de la parenthèse : *(tu*

v. 2.   *Le sais, écume, mais y baves)...* encore
que le sens en soit lié au symbole, ne
s'explique peut-être que par la nécessité
des rimes difficiles en *aves* ; elle est la
description concrète et morale de l'écume,
seul effet et témoin du désastre.

v. 3.   *Suprême une entre les épaves...* est une
apposition de *mâts* et pourrait donc
s'écrire aussi entre parenthèses ou entre
tirets ; mais ces indications graphiques
seraient-elles nécessaires ? puisqu'il est
trop évident que, parmi les épaves, le
mât est la plus haute comme le dit le
sens latin de *suprême*.

v. 4.   *Abolit...* Faut-il encore insister sur l'importance de ce mot dans le vocabulaire
de Stéphane Mallarmé ? Et qu'il l'avait
hérité de Gérard de Nerval ?

Le mât dévêtu... dévêtu de ses voiles.
Dans *Salut*, Mallarmé désigne par la
même métaphore le beau départ des
poètes :

Le blanc souci de notre toile

Comme les quatrains, les deux tercets
ne forment qu'une seule phrase tumul-
tueuse dont le sujet est *Tout l'abîme*.

Str. III,   *Ou cela...* implique une alternative et
v. 1.   annonce une autre hypothèse : est-ce

un navire qui a été englouti sans appel ? ou... Ces interrogations et l'intention disjonctive veulent donc une pause assez longue après *cela*. Le vers est d'ailleurs singulièrement et fortement coupé comme si on entendait et attendait les coups des paquets d'eau sur la coque du navire en détresse. Car *furibond* se rattache à *abîme* et *faute* au vers suivant qu'on pourrait encore considérer comme une parenthèse dépendant elle-même de *furibond*.

v. 2. (*Faute...*) *De quelque perdition haute...* revient à dire ceci : à défaut d'une proie de valeur, l'abîme, l'océan furieux, n'aura noyé...

v. 3. *Tout l'abîme vain éployé...* avec le premier vers de la strophe suivante :

Str. IV, *Dans le si blanc cheveu qui traîne...* c'est
v. 1. la description de la mer déchaînée dont la colère n'aboutit néanmoins qu'à la frange d'écume blanche à la crête des vagues.

v. 3. *Le flanc enfant d'une sirène...* La mer démontée, qu'aura-t-elle dévoré ? Quelle réalité ? Aucune. Une enfant chimérique. Pas même. *Un flanc...*

Tout le poids du ciel (première strophe), toute la violence de la mer (deuxième et troisième strophes), toutes les forces unies

du vent et de l'eau, ont concouru à
anéantir ce qui existe à peine, la forme
entrevue d'un mythe naissant.

Une fois de plus, poème désespéré qui
symbolise l'engloutissement de ce qui n'a
pas été.

Ce rien disparu, remous insignifiant
de l'eau vaste, cet essentiel qui sombre
définitivement comme une anecdote, ce
noble, cet éperdu rêve d'un seul, anéanti
sans que rien de l'univers ne s'émeuve, il
en existe une autre transposition, la *Chute
d'Icare* de Breughel. Là aussi, tandis que
humains, bêtes, roches et terre con-
tinuent paisiblement d'occuper la place
énorme du paysage, un point rose dis-
paraît, un désespoir isolé s'enfonce dans
les flots et dans les temps.

Voilà donc déterminé le thème précis du morceau
à partir duquel on peut le gonfler de toutes les interprétations personnelles, à partir duquel on peut
l'élargir aux symboles les plus éperdus. Aux significa-
tions secondes, il offrira désormais sa résistance
propre. Il opposera ses propres perspectives puisqu'on voit se profiler derrière lui, le rêve immense
du poète, l'œuvre-synthèse qui eût pu faire échec
au hasard, le Livre unique, expression totale du
monde. Puisque, plus émouvant encore, on y entend
surgir la plainte renouvelée de l'impuissance créatrice.

Du 29 juin au 24 août 1895, le *Figaro* publie les interviews d'Austin de Croze qui poursuivait une enquête sur le *Vers Libre et Les Poètes*. Le 3 août paraît la réponse de Mallarmé [1]. Il défendait le vers classique (qu'il appelait le vers officiel) aussi bien que le vers libre, ménageant pour chacun d'eux des mérites à peu près égaux et nécessaires.

Il avait au surplus été bien généreux car il avait accompagné sa réponse d'un sonnet que le journaliste publie précédé de cette note : « Voici des vers que *par jeu* le poète voulut bien écrire à notre intention pour cette enquête » :

---

[1] A la vérité, le texte paru dans le *Figaro*, présente une unique variante, d'ailleurs sans importance :

A *ta* lèvre vole-t-il

Dans les *Œuvres complètes* de Mallarmé, de la Bibliothèque de la Pléiade, il y a donc une erreur (p. 1491) quant à l'existence d'une autre variante str. 2, v. 4. Il semble aussi qu'il y ait au moins un manque de précision en ce qui regarde les variantes des manuscrits appartenant à la collection Henri Mondor. Un manuscrit ? ou deux manuscrits ? Les variantes, en tout cas, sont différentes suivant qu'on les cueille dans les *Œuvres complètes* (p. 1492) ou dans la *Vie de Mallarmé* par Henri Mondor, p. 717.

Toute l'âme résumée
Quand lente nous l'expirons
Dans plusieurs ronds de fumée
Abolis en autres ronds

Atteste quelque cigare
Brûlant savamment pour peu
Que la cendre se sépare
De son clair baiser de feu

Ainsi le chœur des romances
A la lèvre vole-t-il
Exclus-en si tu commences
Le réel parce que vil

Le sens trop précis rature
Ta vague littérature

Puis, Mallarmé ne le publia plus de son vivant, pas même dans l'édition de ses *Poésies* qu'il prépara soigneusement lui-même la dernière année de sa vie et qui parut, à Bruxelles, chez Deman, en 1899. On ne retrouve le sonnet que dans les *Poésies* publiées par la *Nouvelle Revue Française* en 1913.

Il présentait cette forme shakespearienne du sonnet qu'il avait utilisée pour la première fois, en 1889 dans *La chevelure vol d'une flamme à l'extrême* et qu'il utilisera encore dans *Chansons bas* I et II, *Billet à Whistler*, *Eventail*, *Feuillet d'Album*, *Petit air* I et II, *Petit air guerrier*, et *Au seul souci de voyager*.

Elle consiste dans un groupement nouveau des six derniers vers qui, au lieu de se diviser en deux tercets, forment désormais deux strophes inégales, un quatrain suivi d'un distique. Les trois quatrains sont faits chacun sur deux rimes alternées tandis que le sonnet finit par deux rimes plates.

A voir de près cette structure, on s'aperçoit que Mallarmé a réservé à ces deux derniers vers, le rôle d'exprimer soit la justification plastique, soit la valeur symbolique du poème.

Ici, dans le sonnet qui nous occupe, il constitue comme un précepte, une ultime leçon, presque à la manière de Boileau (pour la forme, s'entend), à propos de l'art d'écrire.

Dans l'acte de fumer, ce qui est important et enchanteur, ce n'est ni le cigare, ni le bout incandescent, ni la cendre, réalités précises qui se transforment et se perdent au profit de la production des volutes fuyantes, réalité mobile mais évocatrice et polymorphe. Ainsi dans l'acte poétique, les descriptions appuyées doivent s'effacer au profit d'un pouvoir de suggestion et d'entrevision.

C'est l'idée qu'il exprimait à 22 ans quand il écrivait à son ami Cazalis [1] : « Peindre, non la chose, mais l'effet qu'elle produit. » C'est elle encore qu'il exprimait en 1891 par ces mots :

Nommer un objet, c'est supprimer les trois quarts de la jouissance du poème qui est faite du bonheur de deviner peu à peu ; le suggérer, voilà le but [2].

Et la voici, en 1893, dans son |langage définitif et singulier :

Evoquer dans une ombre exprès l'objet, par des mot allusifs, jamais directs, se réduisant à du silence égal, comporte tentative proche de créer [3].

Avant d'aborder l'explication littérale du poème, remarquons qu'il date d'une époque où Mallarmé ne ponctuait plus du tout et où il ne publiait que la version à peu près définitive dont les variantes, sans importance, sont des perfectionnements jamais des éclaircissements du texte.

Str. I, v. 1. *Toute l'âme résumée...* Ce sont ces mots élevés qui incitent à donner dès le pre-

---

[1] Lettre de Mallarmé à Cazalis, au sujet d'*Hérodiade*. Voir E. Noulet, *L'Œuvre poétique de Stéphane Mallarmé*, p. 91.

[2] *Enquête sur l'évolution littéraire* par J. Huret (*Echo de Paris*, 14 mars 1891).

[3] *The National Observer*, 28 janv. 1893 (*Divagations : Magie*).

mier vers un sens idéal et ésotérique au sonnet ; ils n'outrepassent pas cependant l'explication qu'approuverait n'importe quel fumeur, à savoir qu'une des satisfactions de cette modeste passion est de sentir que la fumée qu'on chasse représente un peu ce que l'on pense ; on s'allège en fumant, de sa propre pensée ; on regarde dans la fumée, s'envoler tous les soucis, le résumé de tout ce que l'on est...

v. 2. *expirons...* le verbe marque donc un des deux temps de la respiration, celui qui s'allonge et se renforce nécessairement pour chasser la fumée.

v. 2 et 4. les deux vers décrivent le jeu des ronds de fumée qui vont s'élargissant et s'évanouissant, s'engendrant l'un l'autre.

v. 4. *abolis...* ce mot, emprunté à Gérard de Nerval et si souvent employé par Mallarmé pour désigner une disposition statique, dessine ici un mouvement ou plutôt une succession de mouvements ; chacun des cercles de fumée semble vraiment effacé par celui qui le remplace et l'absorbe.

Str. II, v. 1. *atteste...* a pour sujet *Toute l'âme.*

v. 2. *savamment...* L'adverbe est important ; il est d'abord juste, car tout fumeur expert dira qu'il y a une manière élégante de séparer la cendre du cigare et une

manière barbare ; de plus, son sens
rejaillit sur la suite, c'est-à-dire sur la
transposition morale du thème ; c'est
avec science, avec réflexion et expérience
que l'on arrivera, parmi les matériaux
bruts fournis par l'imagination, à choisir,
à dégager ce qui est générateur de poésie...

v. 3. *De son clair baiser de feu...* marque
la ligne qui sépare la partie incan-
descente *(clair baiser de feu)* de la
partie éteinte *(la cendre)*. On voit ainsi
le bénéfice de *clair* sur la variante *beau*
que représenterait le (ou les manuscrits)
de la collection H. Mondor.

Str. III, *Ainsi...* annonce le deuxième terme de
v. 1.   la comparaison et invite à puiser dans
la donnée concrète qui précède de quoi
expliquer l'allégorie qui suit.

le chœur des romances... l'ensemble
des chansons, des poèmes, l'œuvre elle-
même.

v. 2. *A la lèvre vole-t-il...* imaginons une
virgule après ce vers.

v. 3. *Exclus...* le sens du mot est tout près de
son étymologie et veut dire chasser
comme dans ce vers de *Feuillet d'Album* :

Oui ce vain souffle que j'exclus... »

tu... le tutoiement avertit que le poète
donne un conseil, voire un commandement.

v. 4.   *Le réel...* et le voici, ce conseil, tout technique d'ailleurs : il faut chasser de la poésie l'anecdote, l'incident, le matériel.

parce que vil... parce qu'il n'est pas noble.

Str. IV, *Le sens trop précis...* Prenons garde que,
v. 1.   de la poésie, Mallarmé ne proscrit pas le sens, pas même le sens précis, seulement le sens trop précis. (Remarquons l'avantage de *précis* en regard de la version « marqué » des manuscrits.)

v. 2.   *rature...* dans le sens de biffer, supprimer, rendre inexistant.

Ta vague littérature... vague est lourd de sens. Il ne désigne pas ce qui est indécis, amorphe, nébuleux, sans consistance ou sans valeur ; il est synonyme de voilé, ombreux, embué, mystérieux ; on le retrouve, avec la même acception, dans le titre *Divagations.*

Cette « romance »-ci est donc un plaidoyer en faveur de l'hermétisme en ce sens que Mallarmé préconise une poésie secrète ou du moins qui ne livre pas tout de suite son secret. C'est un art poétique en six vers qui vient affirmer à la fin d'une vie, en paroles discrètes et même enjouées, la sincérité d'une certaine conception de la poésie qu'il avait, dans son *Art pour tous*, en ses vingt ans, souhaitée, et plus tard, contre tous, mise en forme et en œuvre.

Dans une édition qui restituerait et respecterait l'ordre chronologique et l'évolution de la pensée poétique de Mallarmé, ce sonnet léger et pourtant didactique devrait se trouver en dernier ; d'abord parce qu'il est vraiment le dernier ou un des derniers que le poète ait écrits, preuve de la fidélité à sa propre doctrine ; ensuite parce qu'il est un testament littéraire, l'ultime conseil de celui qui entrevit peut-être la véritable nature de la poésie.

L'ART POUR TOUS

Toute chose sacrée et qui veut demeurer sacrée s'enveloppe de mystère. Les religions se retranchent à l'abri d'arcanes dévoilés au seul prédestiné : l'art a les siens.

La musique nous offre un exemple. Ouvrons à la légère Mozart, Beethoven ou Wagner, jetons sur la première page de leur œuvre un œil indifférent, nous sommes pris d'un religieux étonnement à la vue de ces processions macabres de signes sévères, chastes, inconnus. Et nous refermons le missel vierge d'aucune pensée profanatrice.

J'ai souvent demandé pourquoi ce caractère nécessaire a été refusé à un seul art, au plus grand. Celui-là est sans mystère contre les curiosités hypocrites, sans terreur contre les impiétés, ou sous le sourire et la grimace de l'ignorant et de l'ennemi.

Je parle de la Poésie. Les *Fleurs du Mal*, par exemple, sont imprimées avec des caractères dont l'épanouissement fleurit à chaque aurore les plates-bandes d'une tirade utilitaire, et se vendent dans des livres blancs et noirs, identiquement pareils à ceux qui débitent de la prose du vicomte du Terrail ou des vers de M. Legouvé !

Ainsi les premiers venus entrent de plain-pied dans un chef-d'œuvre, et depuis qu'il y a des poètes, il n'a pas été inventé, pour l'écartement des impor-

tuns, une langue immaculée — des formules hiéra-
tiques dont l'étude aride aveugle le profane et
aiguillonne le patient fatal ; — et ces intrus tiennent,
en façon de carte d'entrée, une page de l'alphabet
où ils ont appris à lire !

O fermoirs d'or des vieux missels ! O hiéroglyphes
inviolés des rouleaux de papyrus !

Qu'advient-il de cette absence de mystère ?

Comme tout ce qui est absolument beau, la poésie
force l'admiration ; mais cette admiration sera loin-
taine, vague — bête, elle sort de la foule. Grâce à
cette sensation générale, une idée inouïe et saugrenue
germera dans les cervelles, à savoir, qu'il est indis-
pensable de l'*enseigner* dans les collèges, et irré-
sistiblement, comme tout ce qui est enseigné à plusieurs, la poésie sera abaissée au rang d'une science.
Elle sera expliquée à tous également, égalitairement,
car il est difficile de distinguer sous les crins ébou-
riffés de quel écolier blanchit l'étoile sibylline.

Et de là, puisque à juste titre est un homme
incomplet celui qui ignore l'histoire, une science,
qui voit trouble dans la physique, une science, nul
n'aura reçu une *solide* éducation s'il ne peut juger
Homère et lire Hugo, gens de science.

Un homme, je parle d'un de ces hommes pour qui
la vanité moderne, à court d'appellations flatteuses,
a évoqué le titre vide de citoyen, — un citoyen, et
cela me fait penser, parfois, confesser, le front haut,
que la musique, ce parfum qu'exhale l'encensoir du
rêve, ne porte avec elle, différente en cela des aromes
sensibles, aucun ravissement extatique : le même
homme, je veux dire le même citoyen, enjambe nos

musées avec une liberté indifférente et une froideur
distraite, dont il aurait honte dans une église, où il
comprendrait, au moins, la nécessité d'une hypo-
crisie quelconque, et de temps à autre lance à Rubens,
à Delacroix, un de ces regards qui sentent la rue. —
Hasardons, en le murmurant aussi bas que nous
pourrons, les noms de Shakespeare ou de Goethe :
ce drôle redresse la tête d'un air qui signifie : « ceci
entre dans mon domaine ».

C'est que, la musique étant pour tous un art, la
peinture un art, la statuaire un art, — et la poésie
n'en étant plus un (en effet, chacun rougirait de
l'ignorer, et je ne sais personne qui ait à rougir de
n'être pas expert en art), on abandonne musique,
peinture et statuaire aux *gens de métiers*, et comme
on tient à sembler instruit, on apprend la poésie.

Il est à propos de dire ici que certains écrivains,
maladroitement vaillants, ont tort de demander
compte à la foule de l'ineptie de son goût et de la
nullité de son imagination. Outre « qu'injurier la
foule, c'est s'encanailler soi-même », comme disait
justement Charles Baudelaire, l'inspiré doit dédai-
gner ces sorties contre le Philistin : l'exception,
toute glorieuse et sainte qu'elle soit, ne s'insurge
pas contre la règle, et qui niera que l'absence d'idéal
ne soit la règle ? Ajoutez que la sérénité du dédain
n'engage pas seule à éviter ces récriminations ; la
raison nous apprend encore qu'elles ne peuvent être
qu'inutiles ou nuisibles : inutiles, si le Philistin n'y
prend garde ; nuisibles, si, vexé d'une sottise qui
est le lot de la majorité, il s'empare des poètes et
grossit l'armée des faux admirateurs. J'aime mieux

le voir profane que profanateur.— Rappelons-nous
que le poète (qu'il rythme, chante, peigne, sculpte)
n'est pas le niveau au-dessous duquel rampent les
hommes ; c'est la foule qui est le niveau, et il plane.
Sérieusement, avons-nous jamais vu dans la Bible
que l'ange raillât l'homme, qui est sans ailes ?

Il faudrait qu'on se crût un homme complet sans
avoir lu un vers d'Hugo, comme on se croit un
homme complet sans avoir déchiffré une note de
Verdi, et qu'une des bases de l'instruction de tous,
ne fût pas un art, c'est-à-dire un mystère accessible
à des rares individualités. La multitude y gagnerait
ceci, qu'elle ne dormirait plus sur Virgile des heures
qu'elle dépenserait activement et avec un but
pratique, et la poésie, cela qu'elle n'aurait plus
l'ennui — faible pour elle, il est vrai, l'immortelle !
— d'entendre à ses pieds les abois d'une meute
d'êtres qui, parce qu'ils sont savants, intelligents,
se croient en droit de l'estimer, quand ce n'est pas
la régenter.

A ce mal, du reste, les poètes, et les plus grands,
ne sont nullement étrangers.

Voici. Qu'un philosophe ambitionne la popularité,
je l'en estime. Il ne ferme pas les mains sur la poignée
de vérités radieuses qu'elles enserrent ; il les répand,
et cela est juste qu'elles laissent un lumineux sillage
à chacun de ses doigts. Mais qu'un poète — un
adorateur du beau inaccessible au vulgaire — ne se
contente pas des suffrages du sanhédrin de l'art,
cela m'irrite, et je ne le comprends pas...

L'Artiste, 15 septembre 1862.

BIBLIOGRAPHIE SOMMAIRE

Il faut suivre, en les complétant les unes les autres, les *bibliographies* contenues dans les ouvrages suivants :

1911. André Barre, *Bibliographie de la poésie symboliste*, Paris, Jouve.

1921. G. Lanson, *Manuel bibliographique de la littérature française moderne 1500-1900*, 2me éd., Paris, Hachette.

1927. Maurice Monda et François Montel, *Bibliographie des poètes maudits. I. Stéphane Mallarmé*, Paris, Libr. H. Leclerc, Giraud-Badin, succ.

1933. Hugo P. Thieme, *Bibliographie de la littérature française de 1800 à 1900*, Paris, Droz.

1936. *Cinquantenaire du symbolisme*, Paris, Editions de la Bibliothèque nationale.

1940. E. Noulet, *L'Œuvre poétique de Stéphane Mallarmé*, Paris, Droz.

1942. Pierre Beausire, *Essai sur la poésie et la poétique de Mallarmé*. Lausanne, Roth.

1945. Mallarmé, *Œuvres complètes*, éd. Henri Mondor & G. Jean-Aubry, Paris, N.R.F., Bibliothèque de la Pléiade.

1947. Gardner Davies, *Stéphane Mallarmé. Fifty Years of Research*, in *French Studies*, t. I, nᵒ janv. 1947, Oxford, Blackwell.

1947. Guy MICHAUD, *Message poétique du symbolisme*,
        t. I, *L'aventure poétique*, chap. V :
        Mallarmé poète de l'absolu, Paris,
        Nizet.

1947. Jacques SCHERER, *L'Expression littéraire dans
        l'Œuvre de Mallarmé*, Paris, Droz.

TABLE DES MATIÈRES

Achevé d'imprimer le 20 février 1948
sur les presses de l'imprimerie du
« Journal de Genève »